国际大奖小说

One-Eyed Cat

一只眼睛的猫

[美] 葆拉·福克斯/著　许洪珍/译

新蕾出版社

图书在版编目 (CIP) 数据

一只眼睛的猫/(美)福克斯著;许洪珍译.
—天津:新蕾出版社,2010.4(2016.7 重印)
(国际大奖小说)
书名原文:One-Eyed Cat: A Novel
ISBN 978-7-5307-4736-0
Ⅰ.①一…
Ⅱ.①福…②许…
Ⅲ.①儿童文学-长篇小说-美国-现代
Ⅳ.①I712.84
中国版本图书馆 CIP 数据核字(2010)第 049096 号

津图登字:02-2009-32

出版发行:新蕾出版社
e-mail:newbuds@public.tpt.tj.cn
http://www.newbuds.cn
地　　址:天津市和平区西康路 35 号(300051)
出 版 人:马梅
电　　话:总编办 (022)23332422
发行部 (022)23332676　23332677
传　　真:(022)23332422
经　　销:全国新华书店
印　　刷:山东德州新华印务有限责任公司
开　　本:880mm×1230mm　1/32
字　　数:100 千字
印　　张:6.25
版　　次:2010 年 4 月第 1 版　2016 年 7 月第 17 次印刷
定　　价:19.00 元

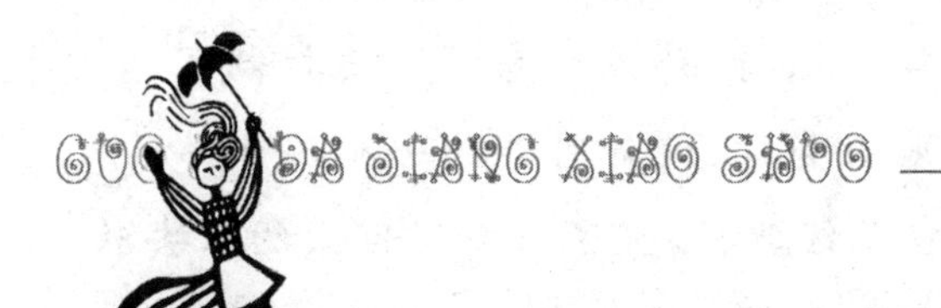

一辈子的书

梅子涵

亲近文学

一个希望优秀的人，是应该亲近文学的。亲近文学的方式当然就是阅读。阅读那些经典和杰作，在故事和语言间得到和世俗不一样的气息，优雅的心情和感觉在这同时也就滋生出来；还有很多的智慧和见解，是你在受教育的课堂上和别的书里难以如此生动和有趣地看见的。慢慢地，慢慢地，这阅读就使你有了格调，有了不平庸的眼睛。其实谁不知道，十有八九你是不可能成为一个文学家的，而是当了电脑工程师、建筑设计师……可是亲近文学怎么就是为了要成为文学家，成为一个写小说的人呢？文学是抚摸所有人的灵魂的，如果真有一种叫作“灵魂”的东西的话。文学是这样的一盏灯，只要你亲近过它，那么不管你是在怎样的境遇里，每天从事

怎样的职业和怎样地操持，是设计房子还是打制家具，它都会无声无息地照亮你，使你可能为一个城市、一个家庭的房间又添置了经典，添置了可以供世代的人去欣赏和享受的美，而不是才过了几年，人们已经在说，哎哟，好难看嗷！

谁会不想要这样的一盏灯呢？

阅读优秀

文学是很丰富的，各种各样。但是它又的确分成优秀和平庸。我们哪怕可以活上三百岁，有很充裕的时间，还是有理由只阅读优秀的，而拒绝平庸的。所以一代一代年长的人总是劝说年轻的人："阅读经典！"这是他们的前人告诉他们的，他们也有了深切的体会，所以再来告诉他们的后代。

这是人类的生命关怀。

美国诗人惠特曼有一首诗：《有一个孩子向前走去》。诗里说：

有一个孩子每天向前走去，
他看见最初的东西，他就变成那东西，
那东西就变成了他的一部分……

如果是早开的紫丁香，那么它会变成这个孩子的一

部分；如果是杂乱的野草，那么它也会变成这个孩子的一部分。

我们都想看见一个孩子一步步地走进经典里去，走进优秀。

优秀和经典的书，不是只有那些很久年代以前的才是，只是安徒生，只是托尔斯泰，只是鲁迅；当代也有不少。只不过是我们不知道，所以没有告诉你；你的父母不知道，所以没有告诉你；你的老师可能也不知道，所以也没有告诉你。我们都已经看见了这种“不知道”所造成的阅读的稀少了。我们很焦急，所以我们总是非常热心地对你们说，它们在哪里，是什么书名，在哪儿可以买到。我就好想为你们开一张大书单，可以供你们去寻找、得到。像英国作家斯蒂文生写的那个李利一样，每天快要天黑的时候，他就拿着提灯和梯子走过来，在每一家的门口，把街灯点亮。我们也想当一个点灯的人，让你们在光亮中可以看见，看见那一本本被奇特地写出来的书，夜晚梦见里面的故事，白天的时候也必然想起和流连。一个孩子一天天地向前走去，长大了，很有知识，很有技能，还善良和有诗意，语言斯文……

同样是长大，那会多么不一样！

自己的书

优秀的文学书，也有不同。有很多是写给成年人的，也有专门写给孩子和青少年的。专门为孩子和青少年写文学书，不是从古就有的，而是历史不长。可是已经写出来的足以称得上琳琅和灿烂了。它可以算作是这二三百年来我们的文学里最值得炫耀的事情之一，几乎任何一本统计世纪文学成就的大书里都不会忘记写上这一笔，而且写上一个个具体的灿烂书名。

它们是我们自己的书。合乎年纪，合乎趣味，快活地笑或是严肃地思考，都是立在敬重我们生命的角度，不假冒天真，也不故意深刻。

它们是长大的人一生忘记不了的书，长大以后，他们才知道，原来这样的书，这些书里的故事和美妙，在长大之后读的文学书里再难遇见，可是因为他们读过了，所以没有遗憾。他们会这样劝说："读一读吧，要不会遗憾的。"

我们不要像安徒生写的那棵小枞树，老急着长大，老以为自己已经长大，不理睬照射它的那么温暖的太阳光和充分的新鲜空气，连飞翔过去的小鸟，和早晨与晚间飘过去的红云也一点儿都不感兴趣，老想着我长大

了，我长大了。

“请你跟我们一道享受你的生活吧！”太阳光说。

“请你在自由中享受你新鲜的青春吧！”空气说。

“请你尽情地阅读属于你的年龄的文学书吧！”梅子涵说。

现在的这些“国际大奖小说”就是这样的书。

它们真是非常好，读完了，放进你自己的书架，你永远也不会抽离的。

很多年后，你当父亲、母亲了，你会对儿子、女儿说：“读一读它们，我的孩子！”

你还会当爷爷、奶奶、外公和外婆，你会对孙辈们说：“读一读它们吧，我都珍藏了一辈子了！”

一辈子的书。

目录

One-Eyed Cat

一只眼睛的猫

有一个孩子每天向前走去，

他看见最初的东西，他就变成那东西，

在那天的某个时分，或是一整天，

那东西都是他的一部分，

或者连续好多年，或者更多年持续不已。

第一章

礼拜日

奈德·沃利斯是个牧师的独生子。有个公理会教堂坐落在一座矮矮的小山上，离纽约的泰勒村有一英里远，在教堂和泰勒村之间是一条乡间小路。尊敬的牧师詹姆士·沃利斯就在这座教堂里宣讲经文。离教区牧师住宅大约一百码远的地方，原来是个小陵园，里面立着很多由于风吹雨打而显得很破旧的墓碑。有些墓碑已经倒了，上面长满了苔藓和常春藤。当奈德开始姗姗学步的时候，他最爱在陵园里玩耍。当公理会会员集会结束回家吃主日餐之后，奈德的爸爸就会来这里接他。当他的爸爸站在庄严的教堂门口，对着那些前来参加仪式的每一个人宣讲经文的时候，他的妈妈就坐在这里一块倒塌的墓碑石头上照看他。那都是很久以前的事了，那时他的妈妈还没有生病呢。

刚过教堂，有个低矮黑暗并散发着霉味的牲口棚，那是人们过去用来拴马的地方，当时还没有汽车呢。现

在天气不好的时候，老蒂姆斯先生还会用这个棚子。他驾着他的四轮马车，赶着红棕色瘦瘦的母马，从他山谷里的牧场一路咔哒咔哒地来到教堂附近，然后进入谷仓。等奈德长大一点儿了，从早间主日学校放学出来，他就和一些孩子在这里玩耍，什么捉迷藏啊、大声叫喊啊、互相吓唬啊，玩得不亦乐乎。但他们却会和蒂姆斯先生的母马保持一定的距离，因为蒂姆斯先生的坏脾气是出了名的。在温暖的日子里，唱诗班的歌声，特别是那些老歌手们高亢的颤音，像草地上的野花儿一样，若隐若现的、甜甜的香味飘进黑暗的牲口棚。玩着玩着，孩子们就会停下来倾听老布鲁斯特女士的歌声。她唱圣歌最后一个音符时，总会一直坚持到那口气用完，然后才晃晃悠悠地走回座位，无声地坐下。

沃利斯一家本来可以住在牧师住宅，就是专门给牧师住的房子，也不用花一分钱。但实际上他们并不住在那里。他们家的房子离泰勒村有十五英里远。那房子是奈德的爷爷盖的，那时离奈德出生差不多还有八年的时间呢。就像教堂一样，那房子也站在一座小山上。从窗子处能看到哈得孙河的景色。沃利斯牧师一家不想搬走也有这个原因。

那是座老房子，很大，但房子状况并不好，经常出问题，比如炉子在不该灭的时候灭了，蓄水池水满得流出

来了，房顶漏雨了，或者奈德的妈妈病情加重，可他爸爸又不忍心离开她去做牧师该做的那些事。当这些问题发生得太多了，他爸爸有些承受不住时，才会大声说他们必须离开那里，到牧师住宅去住。相比之下，牧师住宅既简陋又狭小，和哈得孙河那令人欢欣鼓舞的景色也差得太远。但奈德家的房子维护起来也实在太麻烦，而且离爸爸的教堂也太远，又太贵，凭一个乡村牧师的收入根本付不起。不过，奈德知道爸爸很喜爱它。

礼拜日，奈德跟着爸爸进了教堂。教堂过道上方的巨大通风口，教堂里面一排排的长椅，流光溢彩高不可攀的窗子，竖立在讲道坛后面那许许多多暗金色管风琴的管子，所有这些总使他感到震惊。管风琴的那些管子不论他数多少次，最后得出的数目都不一样。教堂里的每一个角落，从地窖到地下室，一直到弯曲狭窄的台阶，奈德都清清楚楚。台阶通向唱诗班席位上方的画室。在寒冷的天气里，地窖里巨大的火炉烧得像蒸汽火车头那么热。地下室是主日学校上课、教堂聚会和举办经文研读会的地方，在特殊场合，教堂圣餐也会摆在这里的长条桌上。或许因为他习惯于把教堂当成是他家的另一个房间，所以每次看到教堂那么大时，他总是吓一跳。

九月下旬的一个礼拜日，离奈德十一岁生日还差几

天，他照例坐在前排长椅上，背向后靠着，冬日里使人感觉很舒服的红色天鹅绒软垫贴在他两条腿肚子上，使他感觉有点儿痒痒的。八月的热天气已经过去了，天空的颜色也随之变得苍白。爸爸宣讲经文的声音好像从遥远的地方传来。有人咳嗽，还有人沙沙地翻动着赞美诗集。他突然感觉很困，睡意像一块布一样蒙在他身上。他努力不让自己睡着，就设想着如果一生都生活在海洋上，那会是什么样子呢?就像《无国之人》里的菲利普·诺兰一样:他被流放到一条船上。那天早上下楼和爸爸吃早餐之前奈德刚刚读完那本书。一想到吃早餐，奈德就完全清醒过来了，他想起了斯卡罗普夫人。

直到两个月之前，礼拜日早餐时间都是很安静的。奈德的爸爸总是系着别有紫水晶领带夹的黑真丝领带，穿着腿两侧镶有缎子条的黑裤子和下摆呈圆角的外衣，外衣后幅看起来像收起的甲虫翅膀。他带着只有在礼拜日才有的特殊表情，奈德知道他心里在想着他的宣讲词。吃饭时唯一的噪音就是勺子碰到粥碗边发出的声音。有时奈德会抬头盯着蒂芙尼玻璃灯的灯罩看，灯罩彩色的灯板上画着野兽。奈德最喜爱的是那头骆驼，它站在棕色玻璃上的沙漠里，当灯打开时，沙漠看起来绵延好几英里。但是斯卡罗普夫人的到来打破了那种宁静。现在，每天早上餐厅里都充斥着斯卡罗普夫人的声

音，像木匠锯树时发出的声音一样刺耳难耐。

斯卡罗普夫人是他们一年之内雇用的第三个女管家，在奈德看来，她是最差的一个。她常常把手搭在肚子上，站在餐桌旁和他们说话。她说起话来没完没了，既不需要别人提问，也不需要别人回答，任何形式的交流都不需要，只是自顾自地唠叨着。尽管爸爸对斯卡罗普夫人和对任何其他人一样礼貌和善，奈德还是注意到他的眉头渐渐皱了起来。那天早上，在去教堂的路上，奈德坐在那辆老帕卡德牌轿车里，对爸爸说："我们不在的时候，斯卡罗普夫人还对着椅子说话呢。"

爸爸说："她对你妈妈很好。她是个可怜的女人，生活很艰难，结婚只有一年就失去了丈夫，这些年她不得不自己养活自己。"

奈德知道他会说出那样的话。但是在这之前，他对妈妈说起斯卡罗普夫人对着家具说话的可笑事情时，妈妈大声笑了起来，并告诉他斯卡罗普夫人还害怕呻吟声和低声说话呢。"如果我小声说'把纸巾留在盘子里'，斯卡罗普夫人就会立刻跑掉。"她说。当时奈德已经禁不住要笑了，但他突然想起他不能笑，他想到了妈妈的风湿性关节炎，是这种病折磨得她呻吟，让她虚弱得只能小声说话。

对于斯卡罗普夫人，奈德感到最迷惑不解的是，她

突然变得莫名其妙的沉默。沉默比她说话还要糟糕得多,那是一种带着愤怒的沉默,那愤怒甚至就攥在她那狠狠地压在肚子上的双手里。他永远都弄不明白是什么把她气成这样。

有时她会用“亲爱的孩子”来称呼他,并且一有机会就拥抱他一下。但是第二天早上,她又会默不作声地瞪着他看。她那双小眼睛像蓝色的彩笔画的圆点,她的鼻孔微微张开,拳曲的头发像被电烫过一样。他纳闷儿自己到底做错了什么事让她这么生气,但是她却从不解释。奈德肯定地认为,最折磨人的事就是不说出你为什么在生他的气。

爸爸宣讲经文时只讲十条戒律,但斯卡罗普夫人却有几百条,并能用严厉的声音把它们一一说出来,像啄木鸟在树干上连续啄树一样。

“如果洗完澡不把脚趾擦干,就会得阑尾炎。”她警告他。“如果扔掉叉子,太阳落山前你就会倒霉。”她说。一次,当他正在看一本书的时候,她把书从他手里抢过去,仔细研究了一会儿,接着惊呼道:“真是胡说!会说话的动物,看在上帝的分儿上!你看这样胡说八道的东西会变傻的!”

然而,比起那些愤怒的沉默,他倒宁愿听她的训斥,尽管那训斥像啄木鸟啄树一般连续不停。

这天早上就是以“亲爱的孩子”开始的。她向奈德描述星期三要给他做的生日蛋糕。蛋糕会让他大吃一惊的。奈德心想，当她是个五岁女孩的时候，没自己动手做过她的第一个蛋糕吗？她妈妈没教她学做淑女吗？她不知道怎样做出方圆几英里之内最好的蛋糕吗？她说，他的十一岁生日非常非常重要。你过了十一岁以后，就得学习所有的知识。如果到了十三岁还不知道所有的知识，你就永远没有机会了。

“哦，斯卡罗普夫人，我认为我们的时间要比那多。”爸爸轻声地说。

奈德抱歉地离开餐桌，到楼上和妈妈告别。

“斯卡罗普夫人说，在十三岁之前我得学习所有的知识。”他说。妈妈正坐在轮椅里，靠凸窗很近。

“恐怕那是斯卡罗普夫人自己的感受吧。”沃利斯夫人说，并对奈德笑了笑。他马上意识到，她今天身体感觉还不错。有些早上，他还没等进她屋里看她就得转身离开，那就意味着她的身体状况非常糟糕：只见她全身趴在轮椅的托盘桌上，好像是被一股强风按在那儿，无法坐直。那些早上，她的手指严重变形，就像松树根一样扭曲着。他踮着脚悄悄地溜走，感觉好像他身上的骨头正变成水，能够流动。

“星期三她要给我做生日蛋糕。”他告诉她。

“我们得假定她能烤好，”妈妈说，“尽管她烤完之后告诉你蛋糕有多么美味无比的时候，你还是很难有胃口吃下去。”说着她已转身向窗外望去。“看，”她说，“今天天气太美了，还没有起雾。我确定我们能看见遥远的西点军校。我一直都想知道河中那个小岛的样子。你想上面会有人住吗？”

“关于小岛的故事，你给我讲过一个。”奈德说，同时心里想着，妈妈只要身体不疼，任何天气她都会觉得很美。

她笑了，大声说道：“哦，奈德！你还记得那故事呢！那时你才刚过五岁生日啊。我还到处走呢。是的……我编了一个长长的故事，是关于一个老人和他那只猫的。”

“莱特宁大叔。”奈德说道。

“对！”

“那只猫叫奥拉。”

“奥罗拉，”她说，“就是‘黎明女神’的意思。”

她陷入了沉默。他从妈妈的头顶上向窗外看去，看见那条河在山间流淌着。

“十一岁是个好年龄。”她慢悠悠地说，“1924年9月你出生的那天早上，太阳刚刚升起，我就来到这些窗前了。那天很晴朗，就像今天这样，当然没这么暖和。可当时我在想的不是景色。我喜爱景色，但由于习以为常的

原因，对山川、河流、天空已经到了视而不见的程度了。那天清早，我在想的是你是什么样子的。接着，大约十四个小时之后，你就降生了。”

他俯身和她吻别。离近时，他看清了她脖子后面盘成圆圆发髻的那粗粗的金色发辫。

他曾经看见过爸爸给她编辫子。他站在黑暗的上层大厅里面，通过她的门看着爸爸站在她的轮椅旁边给她编辫子的情景。她的头发在他手里就像一根粗大的软绳子。他的动作很麻利，很快就把头发编好了，并把它固定在她脖子后面。接着爸爸把脸靠在她的头上，奈德突然感到有点儿害羞不安，便下楼去了。

“我们得努力豁达地对待斯卡罗普夫人，”他的妈妈说，“她饭做得好，而且有了她，当你父亲必须离开时他也能够放心了。”

奈德明白，妈妈用“豁达”一词的意思是，他们得提醒自己斯卡罗普夫人的到来也有光明的一面。但很难从斯卡罗普夫人身上找到光明的一面，甚至连她一直在织的碎呢地毯都没有一点儿亮色，乌涂涂的，看起来好像生了锈。

她来之前，沃利斯家常常吃鲑鱼罐头和豌豆罐头。女教徒们总在尽力帮助他们，送给爸爸一篮篮的主日餐让他带回家。但是女教徒们好像偏爱甜点。许多蛋糕、甜馅饼和纸托蛋糕整个一星期都堆放在食品室里，一天天地碎裂变味，这几乎让奈德都改掉了对甜食的偏好。

这几年也有过其他管家，但和斯卡罗普夫人比起来，他们看起来更可怕。他也提醒自己，夜里有斯卡罗普夫人在后楼梯附近的卧室里，他是多么安心啊。当爸爸必须去参加一个教堂执事会议，或者要去看望教区某个病人时，有斯卡罗普夫人在，让人多么放心啊。

在听见帕卡德车轮碾压车道上碎石的声音之前，他躺在那里一直睡不着。尽管如此，他也不害怕如果他单独和妈妈在一起时会发生的意外情况。他常常想象各种意外情况的发生，比如万一房子起火了，或者她的疼痛突然剧烈发作。除了找电话接线员求助，他该怎样来帮助她呢？甚至早在他还写不出自己名字的时候，爸爸就教他怎么打电话了。

有一件事他很确定，那就是万一房子着火了，斯卡罗普夫人在场的话，她就能把他和妈妈抱下楼，抱到门外。她就像幽默报纸上的一个人物一样。他在努力回忆那个人物的名字，这时他听见上帝赞美诗的开头一句："赞美上帝，保佑众生……"

他看见爸爸从讲道坛走回来，这时他想起了斯卡罗普夫人到底像滑稽连环漫画中的哪个人物了——大力士卡廷卡，他能抓起整个有轨电车！

他意识到他手里还拿着一枚五分硬币。今天执事们忘记把募捐盘子递给他了。上帝赞美诗的歌声刚落，又响起了一个老人用颤音唱出的发自肺腑的歌声。这是布鲁斯特女士特有的声音。今天他和父亲就是和她一起吃的饭。

奈德挨着父亲站在门口，和男士们握手，向女士们鞠躬。他尽力假装没看见本·史密斯，他正在对他做鬼脸，然后就躲在他哥哥的身后。本能够做出他见过的最可怕的鬼脸，比比利·加斯克尔强多了。比利·加斯克尔在奈德所在的学校上六年级。

本把鼻子往上抬，下嘴唇往下拉，并伸出舌头，所有动作都同时进行。奈德内心发出一声大笑。他赶紧转身背对着本，尽量把注意力集中在蒂姆斯先生身上，蒂姆斯先生正把他那匹母马往那辆布满灰尘的旧四轮马车上套呢。

后来在泰勒村，当爸爸和他停下来买星期日的报纸，然后前往布鲁斯特夫人家之后，爸爸说："那个孩子，本·史密斯……我从没见过任何人能做出那样的鬼脸。你呢？他看上去和怪兽一模一样。"

奈德放声大笑起来。这笑声从本做出那精彩的鬼脸开始就一直憋在他心里。爸爸也大声笑了起来。

爸爸那样大声的笑勾起了奈德对过去的回忆，他想起了妈妈没有生病的时候。他想象他们三个人手拉手从客厅里蹦蹦跳跳地跑下来，或者从哈得孙河岸的石头上跳下来，石头就在岸边窄窄的土带上。土带上长着香蒲草，大石头的后面还藏着硕大、湿滑的蟾蜍。那些日子，天气总是阳光明媚。他知道过去不可能真像他想象的那样，肯定也有雨雪风暴。他们不是把所有时间都用来跳舞、跳石头，一起欢笑，然而感觉好像就是那样。那是一段他不了解的幸福时光。现在每当他高兴时，他就会提醒自己他是幸福的。他会说“现在我很幸福”，而这种幸福不同于简单地用某种方式来体现的幸福，也没必要给它起个什么名字。

在通往布鲁斯特家的小路前，爸爸把车停下了。布鲁斯特家的房子很旧很窄，并向紧挨着它的一棵巨大的榆树一边微微倾斜。有个树枝横挡在房子前面，恰巧在二层的两扇窗户下面，像胡子一样。

布鲁斯特夫人和女儿没用语言，而是用高声欢叫表示对他们的欢迎。屋子里闻起来有股奶酪、旧报纸和蜡油混合的气味。奈德往小厨房里看了一眼，看见食物已经摆上了桌。一大块儿已经化过的黄油又凝固在一大堆碾得不太碎的土豆泥上了；有很小的一块儿肉放在一个大盘子里。有一次他们和布鲁斯特一家吃主日餐，当奈德要吃第二份牛排时，爸爸碰了碰他的腿并轻轻摇头，奈德只好说他又不想吃了。之后，爸爸解释说，布鲁斯特女士穷得一无所有，最好不要吃第二份，因为你根本不知道请你吃一顿饭他们要付出多少努力。

在奈德眼中，布鲁斯特夫人和布鲁斯特小姐年龄都很大，他很难相信一个竟会是另一个的女儿。在客厅里的松木饭桌上放着一本相册，里面贴着一些女人的相片，她们两人看起来和相片上的女人一模一样。吃完饭后，爸爸和布鲁斯特女士们边喝咖啡边轻声交谈的时候，奈德总是看那些照片。奈德只注意爸爸那轻轻的笑声，对于他们的谈话内容却并不感兴趣。听见爸爸的笑声，他就知道其中的一个女士一定讲了一件在教堂集会上发生在某人身上的趣事。当奈德模仿蒂姆斯先生那极其低沉的声音，或者模仿布鲁斯特夫人那圣歌结束时著名的长音时，爸爸都会发出这种笑声。这笑并不代表爸爸不和善，而是因为他喜欢人们幽默的一面。在某种程度上，与苦着脸讲某个人很可怜、很痛苦或者勇于渡过苦难时的沃利斯牧师相比，奈德感觉爸爸笑起来时更友好。

奈德游游逛逛地走出厨房门，进了院子。在很远处，他瞥见老蒂姆斯先生正赶着马车沿路慢慢地往他的农场走。他把身体伏在缰绳上，那匹老马身体来回摆动着往前走。蒂姆斯先生穿着他那件破旧的黑色长外套，外套用一个巨大的别针固定在喉咙处。奈德知道，从来没人见他离开过那件外套。当微风吹起，他闻到了鸡饲料那淡淡的谷粒香味，然后他一直走到小小的鸡笼跟前，那里圈着布鲁斯特家养的几只小鸡。当他向下看时，那些鸡便咯咯地叫起来，好像表示不愿意受到打扰。他真不喜欢和教堂的人共同进餐，在那儿吃饭使他有种无家可归的感觉，他想，沃特维尔镇孤儿院的孩子们肯定有这种感觉。他踢了一脚草里的一块石头，母鸡便开始愤怒地咯咯直叫。

"这么大了。"当他回到餐厅时布鲁斯特小姐说道。每次奈德和爸爸来她家吃饭她都这么说。"我想你一定快过生日了吧。"她又加了一句。奈德很惊讶，大人经常能够想起他认为他们会忘记的事情。

"星期三奈德就该十一岁了。"爸爸说。

"那是个很重要的生日。"布鲁斯特夫人说。

"所有的生日都重要，"布鲁斯特小姐说，"在一定程度上。"

两个女士都嗤嗤地笑了。

阳光照在褶皱的亚麻布餐巾上，照在用花点缀的咖啡杯上，也照在干巴巴、顶层涂着厚厚的柠檬酱的蛋糕上。奈德想，斯卡罗普夫人会为这样一个蛋糕感到受侮辱的。她一天受到了好几次侮辱——坏天气的侮辱，报纸上故事的侮辱，还有厨房窗外老枫树上乌鸦的侮辱，那只乌鸦聒噪不停，好像在指责她。“那只乌鸦真无礼。”她对奈德说。

他很高兴回到被太阳晒得暖洋洋的帕卡德车里。车开始从泰勒村出发朝家的方向开去。他们穿过树林，尽管树林里的树叶有的变成了黄色，有的变成了赤褐色，但依然很浓密。他们穿过开阔的原野，看见了一个小村庄，有泰勒村一半大，看起来完全荒废了。接着是一片草地，有只白狗端坐在那里目不转睛地盯着五头一动不动的母牛看。很快，奈德看见了山脉的西坡，再远处就是流淌的哈得孙河了。

他们开过通往河岸上的大城镇沃特维尔的岔路口之后，又开了两英里来到了《圣经》所说的乳香树所在的地方，据说乔治·华盛顿曾在这棵树下避过雨。爸爸改变方向，下了柏油路，开上一条陡峭的土路。在第一个急转弯处矗立着一座高高的石头房子，房子的窗户永远用百叶窗遮蔽着。房子后面是一小片白桦树林，在放学回家的路上，奈德有时会在这里逗留一会儿。那是他碰巧独自一人往家走，没和其他孩子在一起的时候，比如珍妮特、比利或者伊芙琳，他们也都是顺着这条土路走回家。

爸爸告诉他石头房子已经空置多年了，梅克皮斯大厦也一样。梅克皮斯大厦紧挨着沃利斯家，和沃利斯家的房子一样也建在小山顶上。有八根圆木立在大厦长长的走廊上，走廊上有个巨大的柳条长椅和一把摇椅。柳条长椅快要烂掉了；摇椅的座也不见了，好像从上面掉下过一块大石头，把它砸穿了。奈德透过挂满灰尘的窗子往房间里面看过，房间里很阴暗，因为阳光很难照射进去。爸爸说周围有这么多空房子是经济大萧条造成的，许多人保不住房子便往往弃之不管了。

奈德坐在车里路过他常走的路时，总有点儿陌生的感觉。他从车窗往外看那片小树林；看梅克皮斯大厦的车道上长满了矮树和杂草，高高的石门只有一扇还立在那里；看汽车飞速闪过的高低不平的空地上那座又大又旧的房子。房子里面满满的，比奈德大一岁的伊芙琳·金博尔和她的兄弟姐妹，还有一些骨瘦如柴的猫都住在里面。他看见了金博尔家的狗——斯波特正在来来回回地追逐着它的锁链，还对着旁边正用爪子刨土的母鸡叫个没完。奈德知道如果有人径直向斯波特走去，它就会立刻躺下，并猛摇尾巴。在紧急情况下，金博尔夫人会过来陪奈德的妈妈待一会儿。但她很难离开自己的家，因为她有很多孩子，背上背着一个，脖子上挂着一个，有时大腿上还坐着一个，至少在奈德看来是这样的。他很肯定，他从没见过她身上没有孩子的时候。

他们快要到家了，已经看见他家的车道了。车道是

沿通向他家那长长的斜坡修起来的，有将近四分之一英里长，他们要沿车道一直往上去。西落的太阳照得阁楼的窗户微微发亮，照到爸爸最近让人安装的新避雷针的西侧。车道对面是老斯卡利的家。除了礼拜日以外，每天下午奈德都为斯卡利先生干杂活儿，一周能挣上三十五美分。斯卡利先生自己补袜子、补衣服，也自己做饭吃，但干起重活来越来越费劲儿了。所以从去年七月他开始雇奈德帮他砍过冬用的木柴，用油灰密封窗户，下山到州际公路边他家的邮筒帮他取报纸，取他女儿偶尔从西雅图寄来的明信片。

奈德很喜欢他家的车道。在连绵的春雨里，车道几乎飘走了，而后被石头填满，这些石头会卡进帕卡德车的旧轮胎里。能引起爸爸发火的有两件事，车道的这种状况就是其一；另一件是房顶总要换新瓦才行。

他们停下车，一会儿的工夫，坐在车里的奈德便昏昏欲睡了。这时爸爸从车后座上拿出他的旧皮包，像平常一样弯腰检查旧轮胎的状况。

“过来，奈德……”爸爸说道。

他打开车门，迈上车侧的脚踏板，晃晃脑袋让自己清醒清醒，接着跑向一棵枫树。那棵树站在一个土堆上，下面原来的那个石头花园依然很茂盛。他抓住一棵矮树枝一摇，借力纵身跳了下去。河流下游半英里远的修道

院的钟声突然响了起来,好像这周的时间便从奈德的背后溜走了。没有什么特别的原因,他边放开树枝尖儿边大声喊:“好哇!”

在门廊上,有一棵比房子年龄还要大的丁香树,靠近枝条低垂的树那儿立着一个黄色的大手提箱,上面几乎全是封条和图章。奈德盯着看了一会儿,然后大声喊道:“希拉里舅舅!”

爸爸很快转身离开了汽车。奈德指着门廊,他和爸爸跑上三级台阶,俯身对着手提箱,好像手提箱就是希拉里舅舅。奈德把手指放在上面写有“谢泼尔德,开罗”的封条上,然后手舞足蹈地撞到了纱门上。当他走进中央大厅时,他妈妈正在笑呢。他断定只有希拉里舅舅来访时,她才能这样不同寻常地高兴。

在大厅的最里端,刚过楼梯,是通向厨房的门。斯卡罗普夫人站在那里,双手交叉放在肚子上。“你舅舅来了。”她小声对他说,好像这是个秘密。

从现在起,她该休假了。奈德知道,爸爸主动提出过她在这里的每个礼拜天都开车带她去沃特维尔镇,但她从没接受过他的提议。

“我知道了,”奈德说,“我能听见他在说话呢。”

斯卡罗普夫人慢慢地退进厨房,像影子一样消失在黑暗里。她真傻,奈德想。他开始上楼梯。在楼梯的平台

上有一个彩色的池塘，那是阳光透过彩色玻璃窗形成的影像。在上层大厅里，靠墙站着一个大穿衣镜，有的时候镜子会泛出光芒，好像是它本身发出的，又像是反射透过彩色玻璃射进的阳光。

一直往前走，窗户上洒满金色阳光的就是妈妈的房间。她正向后靠在轮椅上，一条阿富汗毛毯从她膝盖上半垂下来。站在她前面的是又瘦又高的希拉里舅舅，他正咧嘴笑呢。他穿着一件灰色上衣，衣角塞入腰间。他那瘦长的脚穿着短统靴。他的头发和雨云一样闪着银色的光泽。他的两只脚别在一起站着。

他们看起来太像了，奈德心想。把他们想成是哥哥和妹妹，而不仅是舅舅和妈妈，这种想法使他感到有点儿怪怪的。或许斯卡罗普夫人小声说话是对的，看起来好像他们两人之间以前有什么秘密似的。

爸爸在奈德之后也上来了。"希拉里！真让人大吃一惊啊！"

"你好，小奈德，亲爱的。"希拉里舅舅说道，"你也好啊，詹姆士，亲爱的。我本该事先打个电话，但是直到最后一分钟我才知道我能不能离开纽约。我得找个地方完成我关于'卡尔马格'的论文，一个朋友突然要出城就把他的公寓钥匙给了我，看！不过我只能晚上住……如果你们不介意留我过夜，我就早上再坐火车进城。奈德！你

看起来好像比上次长高有一英尺了……咱们想想，有十一个月了吗？没错，有了！你很快就要过生日了！詹姆士，你看上去不错啊。”

“我去告诉女管家在你原来的房间里铺张床。”爸爸说。

妈妈用目光提醒了他一下。“现在是午夜，”她说，“斯卡罗普夫人下班了。你不想惹她生气吧。”

“我自己来。”爸爸说。

“我们一起来。”希拉里舅舅说着，用胳膊搂住奈德和爸爸并拥抱他们。

“希拉里，”妈妈小声说，“你改变了我的日子。”她把脑袋搭在轮椅的靠背上，对着弟弟笑。

这么多年来她几乎都是这样一动不动，要么待在那把椅子里，要么待在奈德的爸爸把她抱到的任何地方。奈德认为他看清了她的全部。他太熟悉她的面容了，比对任何人的面容都要熟悉。但他以前还没见过那种笑容呢。那种笑容好像是在告诉他，她和希拉里都知道一件奈德无法知道的事，也许他的爸爸也无法知道。奈德感到被愤怒撞击着，就像有人猛推了他一把。

“布鲁斯特家的晚餐怎么样啊？还是凉土豆泥和不新鲜的蛋糕？”妈妈问他。

奈德看着她眼角那些细细的皱纹，看着她露出来的

大大的牙齿。现在她是为他而笑的,他点点头,怒气全消了。但他感到有点儿不可思议,好像希拉里舅舅的出现也改变了他的日子。

第二章

枪

当他们进入大厅时,希拉里舅舅说离开城市的躁动真是好极了,他很幸运住在这样一个能够静静沉思的氛围里。

“我不明白是什么意思?”奈德问道。

“就是一个你能思考的地方。”爸爸一边停在壁橱前给希拉里舅舅找被单和枕套,一边笑着对奈德说。

爸爸和希拉里舅舅继续往空卧室里走,但是奈德停了下来,他注意到通向楼梯后部的门开了一条细缝。斯卡罗普夫人的房间就在那儿,在窄窄的楼梯平台旁边。他想他瞥见她正坐在铁床边上,她那粗粗的短腿够不到地板。他很确定她一直在听他们说话呢。她时常偷听别人的谈话,而且不管她听到什么,都会像吃一顿大餐一样把她填得满满的。

他在空房间的门口站了一会儿,听着舅舅和爸爸愉快的咕哝声。这种声音令人安慰。老房子经常很寂静。希

拉里舅舅正在谈论他在写的论文,是关于法国南部某个地方的。他们正把毯子边塞到床垫下面。希拉里舅舅突然弯腰凑近爸爸问:“她身体到底怎么样,詹姆士?她看上去很疲倦,很痛苦。没办法治好吗?……”他抬头看见了奈德,就不再继续说了。

“他妈妈的情况奈德都很清楚。”爸爸表情沉重地看着奈德说道,“他了解情况对我也是个帮助。”他又补充道。

奈德很高兴爸爸对希拉里舅舅这么说。尽管他不知道他的话是不是真的。他知道有时妈妈的病情加重;他也知道有时她感觉好点儿,那时她甚至能够拄着拐杖走几步。但奈德真不明白六年前他们的生活怎么可能就这样完全变样了呢?看起来好像是一夜之间,他们就搬到了世界的另外一个地方的另外一个房子里,这座房子的墙和地板都是玻璃做成的,如果奈德不十分小心的话,玻璃就会碎掉。

可能是因为希拉里舅舅来的缘故,他满脑子里想的都是他的妈妈。除了爸爸,他几乎没看见有谁和她在一起过。近来,斯卡罗普夫人除了铺床、打扫一下灰尘或者给她端来一盘饭以外,在她房间里也不多待。奈德看到,斯卡罗普夫人在房间里时,妈妈很安静。过去做完礼拜的人常常来看望她,但最近一年也不来了。他想他知道

原因。

一天夜里，他还没有入睡的时候，听见妈妈说：“吉姆，求你了！我不想再见到他们。我听不了那些‘上帝上帝’的祷告！理解理解我吧……当有人和我一样无助的时候，那个上帝就像让水给淹了一样……”他对母亲的话迷惑不解。当爸爸用讲经的声音对他说某个人可怜、痛苦或者悲惨时，他也有一种感觉，他不知道妈妈所说的意思是不是有点儿像他自己的感觉。

他走到妈妈的房门口，往里看了一眼，她正闭着眼睛呢。爸爸肯定打开了她的床头灯，但是灯光太弱了，房间里全是阴影。黑暗弥漫着窗户，像黑烟一样压在上面。透过黑暗，他能看见沃特维尔镇那摇曳的灯光。妈妈正在睡觉，可他希望她没睡着。如果她和他说说话的话，他可能就不会再这么总惦记她了。

有时他可以完全不想她，特别是他在外边的时候。不过，如果他碰巧回头看到家，看到她楼上的窗户的时候，他还是会想到她坐在轮椅里，想到她那扭曲变形的手搁在木制的托盘桌上的样子。木托盘桌的一头固定在扶手上，另一头能推开，这样她就会被安全地固定在里面，和把婴儿固定在高高的椅子里的做法一样。

他不能想什么时候进她屋里看她就什么时候跑进去。不过爸爸可能会说：“妈妈刚用海绵洗完澡，感觉很

清爽。为什么不给她端上去一杯茶呢，奈德？”他就会爬上楼梯，边上边想，为什么他走得越高杯中的茶水溅出的就越多呢？当他路过大厅里的镜子时，常要照一下镜子。预料到可能会扔掉热杯子，（到目前为止，他还从没扔掉过。）他便用牙咬着嘴唇，轻轻地走，走进她的房间后，把茶水放到她的面前。因为爸爸没时间去沃特维尔镇的杂货店买新鲜的柠檬，所以茶碟里的柠檬片偶尔会有点儿发霉。

“好，奈德。”她会边说边把目光从窗子处收回，看着他。有些白天，她会虚弱无力地笑笑，他就知道她感觉很糟，她唯一能做的就是笑一笑了，她不得不小心翼翼地保持静止不动的姿态，就像他捧着她的那杯茶一样小心，这样她身体里的东西才不会溢出来。谁都知道，她的病情不会好转了，只会是有些天觉得好过点儿，有些天很难熬，如此而已。

有些夜里，爸妈说话的声音会吵醒他。妈妈的声音很高，带着痛苦；爸爸的声音坚定而有说服力，听上去就像他在教堂讲道坛上发出的声音。奈德躺着倾听着，他的房间有时被外面的星光或者月光照亮了，有时又被与房间同样的黑暗笼罩着，那种黑暗有毛皮那么厚，盖在他的脸上。他知道她是睡觉时疼醒了，爸爸正在试图通过劝说使她摆脱痛苦。

当他们不再说话的时候，他却睡不着了，在家里到处转悠。自从斯卡罗普夫人来了以后，他就担心走大厅后部的楼梯，那楼梯是通向阁楼的，又窄又破。这还不算，走的时候，总有什么东西令他毛骨悚然，可能会从楼梯积满灰尘的角落里踢出来一本旧《国家地理》杂志；可能会绊倒磕到大脚趾；可能会踢翻一个装有上千个旧纽扣的盒子，那些纽扣就会像瀑布一样流下楼梯，正好流到斯卡罗普夫人的门口，把她从睡梦中惊醒！一想到突然把她吓醒他就发抖，同时也笑了起来。

在阁楼里，他在那些大大的旧箱子和盒子中间，在一堆堆的书刊以及破家具中间摸索前行，一直走到一扇小窗前。如果是晴朗的夜晚，从这里他能看到那条河。当他踮起脚，手里抓着还没完工的阁楼窗台时，他仿佛觉得自己是整个美妙而空旷的夜晚里唯一醒着的人。

他常常沿楼梯返回去，穿过空卧室，路过妈妈的房间和从妈妈房间分出来的爸爸的小睡房，过了大厅镜子，下到楼梯底下，进入贴有暗色柳絮图案墙纸的客厅。现在他的眼睛已经习惯黑暗了，能够辨认出银色柳絮的光泽。他走进餐厅摸摸蒂芙尼灯罩上的玻璃骆驼，通过泛着混合味道的食品室，这味道是发霉的面包、臭拖把和干瘪的苹果发出来的。然后他进入大厨房，厨房里破旧的油地毡像红蚂蚁一样扎着他光光的脚板儿。上楼

前，他常在爸爸的书房停一下，试一试那些地板，直到找到吱吱作响的那块，他才准备回到床上睡觉。

奈德几乎每天都能看看妈妈，哪怕只是一两分钟时间。开始，他和她交谈，这种交谈与他跟别人交谈完全不同，比如和别的大人，和他的老师杰斐逊小姐，和集会上的会员如布鲁斯特一家。如果他能和她一起待很长时间，交谈的内容就会变化。他会找把小凳子，拿来放在轮椅边，然后坐在上面。他会告诉她那天他做的事，看见的东西，甚至他想了什么。看来那是她最感兴趣的事了。

在春天和夏天里，当他给她带来一些野花时，她就告诉他每种花的名字；假如他发现了一块奇形怪状的石头，她能说出里面所含的矿物质；假如他描述一只鸟的样子，她有时会告诉他鸟的名字。花和石头放好后，她会问他想了什么。

“所有事物的外面是什么？”他有一次这样问她。

“地球？”

“我是说天上。天空和星星外面是什么？”

“没人知道。”她说。

“肯定有东西。”他说，“不会没东西的，对吗？”

“你爸爸会说‘上帝’。”她说。

“那你会说什么？”他问。他有点儿不安又有点儿好奇的是，她和爸爸的想法不同。

“这种想法太奇怪了，我想不出来。”她说，“或许就像你小时候希拉里舅舅从匈牙利给你带来的那些洋娃娃吧。你记得吗？他们好像有十个吧，每个都在另一个里面，直到最小的一个还没你手指甲大呢。在宇宙里，或许洋娃娃无穷无尽，变得越来越大吧。”

他知道她什么时候累了，尽管他不清楚自己是什么时候开始学会判断的。看见她脸上的肌肉有点儿紧绷，肩膀下垂，他就从小凳子上站起来，吻一下她的脸颊。她的脸颊和他那件旧睡衣的法兰绒一样柔软，但她的皮肤有点儿像布一样。这使他一阵伤心，尽管他不知道为什么。

通常他不去想妈妈成了残疾人这件怪事，但下面的经历就使他不得不想了。当他去看一个同校朋友，或者礼拜仪式结束后爸爸还有事要处理，而他又从主日学校放学了，他要和一个男孩待上一个下午时，他会惊讶于那家房子里怎么可以有巨大的噪音和雷鸣般的响声；惊讶于他的朋友大声喊“妈妈”，并且咣当咣当地撞门，砰砰地关窗，咚咚地上下楼梯。他家里的情形可完全不同。他记不得从什么时候开始他学会了轻轻走路，但他很确定没有人比他弄出的响声小。他不常带玩伴回家，如果带了，他们就待在外面；如果天下雨，他们就在门廊里玩儿。

“你什么时候得的病?”一次闲聊完,奈德很认真地问妈妈。

“大概你五岁的时候,”她答道,“但我想那时这个病已经得了一段时间了。”

“那之前,你能快跑吗?”

“是的,我能跑啊跑啊,跑个不停。而且我骑着我的马——科兹莫。我还能抱起你把你抛向空中呢。”

“然后……”他开始问。

“然后斧头落下来了。”她说道。

斧头落下来了,当妈妈睁开眼睛转过来看着他时,他自言自语地重复着她的话。她笑了。她以前像棵树,他想,后来被砍倒了。

斯卡罗普夫人下班期间不做饭。一个礼拜日,奈德吃完自己的那碗米粥和越橘果,问过她晚饭打算吃什么。“斯卡罗普夫人,”她答道,像平时一样她用第三人称谈论自己,“礼拜日从来不吃晚饭。”

那晚爸爸做煎蛋卷,还切了一些土豆片,上面撒上糖,这使希拉里舅舅十分惊讶。“为什么美国人害怕橄榄油呢?”他大声问,同时好像头疼一样把手放在自己的额头上。爸爸笑了,情绪好像并没被希拉里舅舅的问题所干扰。奈德想,假如爸爸闭着眼睛做饭前祈祷时,能看见

希拉里舅舅在桌子另一头对奈德眨眼的话，他会不高兴的。

晚饭后，希拉里舅舅和爸爸坐在客厅里交谈着，奈德躺在地板上看幽默报纸。他总是在同一个地方看那些报纸，在收音机和书桌之间。收音机的上面有个青铜狮子雕像，狮子的爪子抬到看着它的小老鼠的脑袋顶上，“无所畏惧。”爸爸说过。对此奈德不太确定。在橡木书桌上放着一叠爸爸要留一周再扔掉的报纸，一把磨得几乎变黑了的银色开信刀，一堆近期《国家地理》杂志，一个放大镜和一副上面镶有珍珠母的文具剪刀。奈德喜爱橡木书桌和上面的一切东西。他看完那些幽默报纸，就将身体扭到桌子跟前靠着一条粗粗的桌腿坐着。爸爸在说跟希拉里舅舅比起来他们确实生活平淡。

“平淡的生活没什么问题。”希拉里舅舅是带着一丝微笑说这句话的，那种微笑好像在说有问题。“我都住够旅馆、坐够火车、烦透不会说的各种语言了。哦，我这可怜的胃啊，那些它不得不忍受的食物！炖绵羊的眼睛和肺片……”

“撒上糖的西红柿。”爸爸笑着打断道。

希拉里有点儿生气了，奈德想，似乎他被认定是说笑话呢。接着，希拉里舅舅说：“我只是想那将对奈德大有好处。他还从没离开过这里呢。”

“你喜欢吗？”爸爸突然问奈德，同时稍稍弯腰来看桌脚边的奈德。“在你圣诞假期里，希拉里舅舅想带你去旅行。”

奈德的心怦怦跳了起来。他想大声喊叫，当然啦！但爸爸的话音里有某种意思他还没明白，这使他有点儿不安。如果他说喜欢，他想和希拉里舅舅一起去，爸爸会认为他想逃离他吗？

“你也来吗？”他问道。

“奈德，你知道我不能离开你妈妈。”爸爸自责地说。

“我一定考虑带你去个正好适合十天假期的地方。”希拉里舅舅说。

“奈德，快从桌子底下出来吧。”爸爸用他特有的耐心说。这种耐心是他努力控制火气的时候所特有的。奈德站了起来。

希拉里舅舅的来访时间总是很短。可能那样最好了，奈德心想。他还注意到，当希拉里舅舅来和他们一起住时，爸爸常常很烦躁。希拉里舅舅确实喜欢取笑爸爸——就像他说往西红柿上放糖一样。

“佐治亚海岛太远了。”希拉里舅舅思考着说，“不过也许我们可以去老马头城。”

“怎样，奈德？”爸爸询问道。

希拉里舅舅对他微笑着，看上去像很热情，奈德想

着，高兴得咧开嘴笑了。“我认为他愿意去。”舅舅说道。

“是的，我真想去。”奈德看着爸爸说。

“好，那么，”爸爸把目光从奈德身上移开，向窗外望去。现在大约是秋分前后，天上的月亮圆溜溜的，是满月。他说，“今晚我们能看到收获月。”

“小奈德，现在我必须送给你生日礼物了。明天早上你起床上学之前我就走了，如果那个老伙计按约定开出租车来这里的话。”他走出去进了大厅。舅舅送给奈德的礼物已有一架子了：一些硬币和古骨；一片绿油油的菠菜——中国的绿色翡翠；维苏威火山喷出的火山岩制成的大水罐；墨西哥产的装在玻璃橱里的蝴蝶；其中最贵重的是希腊产的一只青铜小山羊，小得奈德都能藏在手里。

奈德走到爸爸那里倚在他身上，爸爸抓起他的手轻轻攥着。奈德感觉不太舒服。“你不想让我去吗？”他小声问道。

爸爸扭头看着他。“我想你会玩儿得很好的。”他说。

希拉里舅舅扛着一个细长的盒子进来了，外面包着棕色的纸，里外分别用粗绳子捆住。

“我想应该让奈德把它打开。”希拉里舅舅说着把盒子放在地板上。奈德拿起文具剪刀，跪下来剪断绳子，撕掉包装纸，掀开盒的盖子。

如果让他猜里面是什么东西，那么无论如何他也猜不到，即使给他一百次机会。屋子里太安静了，他都能听到爸爸和舅舅的喘气声。他拿起气枪恢复蹲坐的姿势，将臀部压在自己的脚后跟上。

“雏菊气枪。”奈德说完，抬头看着他的舅舅。舅舅迅速对他点了点头，好像在肯定他拿的就是一支枪。

“子弹都装好了，”希拉里舅舅说，“直接射击就行。你该有件男孩子的礼物了，不能老是一块古骨，一只死臭虫，或者一枚连一块软心豆粒糖都买不了的古币。”

“你给买的那些钱币、虫子、骨头和雕刻品都很好，”爸爸大声说道，“是过去岁月的标志，是对过去进行猜测和想象的依据。”

“生日快乐，奈德。”希拉里舅舅有点儿犹豫地说。

“枪能使人想到什么？”爸爸还是很大声地问道，“希拉里，你送这个礼物可不太好吧……”

奈德的手紧按着枪。

“死亡的事物，”爸爸更加镇静地说，“枪能使人想到的就是死亡的事物。”

“我想起了打靶练习，”希拉里舅舅坚持着说，“我原本想到的是射击技能和经过专门训练的眼睛……”

“也许再过几年，”爸爸说道，好像没听见希拉里舅舅的话一样。“当你到了十四岁生日的时候，奈德，如果

你还想学习射击的话……”

“爸爸，”奈德反驳道，“你不记得你带我去集市的时候了？你让我试一试气枪打靶，那人说我是真视射击，手很稳。你不记得了吗？”

“那是游戏。”爸爸说，“哎，希拉里。真的，这件事你应该先问问我呀！”

“我想过，詹姆士，如果奈德打下在你屋顶横梁上吃食的花粟鼠，你会非常高兴的。你没完没了地抱怨那些花粟鼠……”

“那正是我不想让他做的事。”爸爸说。他的声音缓和了些。“希拉里，我知道奈德很感激你的慷慨，我也是。但是这次我必须拒绝。我要把枪收起来，等奈德大点儿了再给他。”

爸爸伸手要拿雏菊气枪。奈德递给他，有一会儿工夫他都感觉这两个男人可能要打起来了。希拉里舅舅向爸爸跟前迈了一步，好像要把枪夺过去的样子。爸爸扬起下巴，眯起眼睛。接着，希拉里舅舅说：“对不起，给你添麻烦了。”说完立刻离开了客厅。奈德听着他快速上楼的脚步声。

“我知道让你失望了，奈德。”爸爸把手放到奈德的肩膀上，声音温和地说。奈德感觉爸爸的手像块石头。

“请你相信我，奈德。”他说。

枪拿在爸爸的另一只手中，枪管对着地面。奈德目不转睛地盯着气枪上的雕刻图看，那图看上去像一只飞翔的大鸟。

“你会相信我吗？”爸爸又问道，语气更坚定了。

屋里似乎变得很热，热得让人受不了。奈德慢慢地点点头。爸爸这才抽回了手。奈德走到收音机那里，用一个手指沿着青铜狮子强健的背部往下滑，弄得手指上满是灰尘，想象着斯卡罗普夫人说“斯卡罗普夫人不管狮子身上的尘土”。

“和枪有关的事故太多了，奈德。人们眼睛瞎了，身体伤残了。”

“我只射旧铁罐。”奈德说，“我不会射花栗鼠的。”

他把目光从狮子身上移开，看见爸爸脸上有种他不喜欢的表情。那是同情的表情，每当他不同意奈德想要什么东西时常有那种表情。不同意就够糟糕的了，那种同情的表情更让他感觉糟糕透顶了。

“别想这件事了。还会有其他礼物的。”爸爸说。

奈德点点头，知道如果自己不同意，爸爸会把他关在屋里，直到他同意为止。爸爸会坚持让他同意的，以前发生的事都是这样。奈德上楼进了门廊顶上的小屋里，爸爸说过他可以把它当书房用。穿过大厅时，他看见妈妈的房间漆黑而舅舅的房门下面则露出一线灯光。进了书房，他一下子冲到沙发上。他看着桌子，上面有几叠明信片，有些是舅舅寄来的，其他的是他在阁楼上找到的。他的集邮册摊开在地板上，卢旺达—乌隆迪邮票的专页上面还是空的。他盯着架子看，上面摆着舅舅这些年来送给他的礼物。它们没什么用处，只能在那儿摆放着，上面落满了灰尘。

他听见爸爸上阁楼的脚步声。那就是说，他正把枪往那上面拿呢。爸爸是不会把枪藏起来的。令人痛苦的是，尽管奈德不总是信任爸爸，可是爸爸却总是信任他，他感觉这有些不公平，尽管他弄不清楚为什么会有这种感觉。

世界上能够让他心情马上好一些的做法就是：他能再一次拿到那把枪，感受它的重量，近看每一寸枪体。如果他能够做到哪怕只有一次，他就会像爸爸告诫他的那样，不再想那只枪了。

奈德的书房没有门，只有一个厚重的旧天鹅绒门帘搭在门框横梁上。爸爸把门帘推到一边，伸进头来。

“晚安，亲爱的奈德。”他说。

“晚安，爸爸。”

“别睡得太晚了。”

老房子夜晚的声音渐渐地消失了，最后只剩下了木板、房梁和旧木料的吱吱声和叹息声。借着看似是平常

两倍的橘黄色月亮的光芒，他能清楚地看到那棵枫树的大树枝。在风中，甚至在微风中，这些树枝都会扫蹭到他书房的窗户，发出咔哒咔哒的声音。爸爸总说他应该给树剪枝了，但是奈德喜欢树枝弄出的响声。

当希拉里舅舅来看他们时，他总是很高兴。但是这次不高兴。他从沙发上滚下来，滚到地板上的一块长条形的月光里。一枚硬币从他裤兜里掉了出来。那是那天早上在教堂里没被收走的那枚五分镍币。他感觉那天早上好像已经过去一个星期了。他把镍币像射玩具弹子一样射到屋子的一角，看都懒得看它一眼。

收获月的光辉充满了整个房子，形成了光的池塘、光的小溪和光的细带。奈德从一扇窗户逛到另一扇窗户，他把鞋子拿在手里，免得弄出声响。他忘记了时间。房子好像在长长的草地上漂浮着，草地向南朝哈得孙河的方向延伸，北面的原野以小松树林为界，夏天奈德时常在那些树枝底下看书。从客厅凸窗那里往外看，比南面远远的那排枫树更远的地方，奈德刚好可以辨认出那座朦朦胧胧的灰白色的梅克皮斯大厦。

靠着橡木书桌，他能看清哈得孙河对岸那些又黑又窄的精神病院的房屋。爸爸曾带奈德去过那里一次，那次他是去看一个教区居民，那人放火烧了整个泰勒村。

奈德记得当时他在一棵参天的榆树下面玩儿木马，

爸爸则在红砖砌的病房里，病房的门廊用黑色铁丝网遮得严严的。他还记得他偶然抬头看过一次，正看见一张苍白的圆脸向下凝视着他，那张圆脸就像一轮小月亮一样。

虽然白天的余热使得夜晚依然温暖，奈德还是颤抖了一下，好像感到了冬天的寒意。他穿过中央大厅到了厨房。走到后楼梯那里，他站住听了很长时间。

他的头皮发麻发疼。他开始爬楼梯。当路过斯卡罗普夫人房间时，他屏住了呼吸。用眼角的余光，他看见她躺在床上，形成了一个小鼓包，就像烤箱里膨起的蛋糕，同时他听见了微弱的近乎打鼾般的声音。

他手脚并用地爬上阁楼楼梯，小心翼翼地穿过一堆堆的杂志。月亮的橘黄色已慢慢褪去，此时月色苍白惨淡，但足以照出那大堆大堆的书和那些盒子、大衣箱、容器以及柳条箱子和篮子等东西。

那支枪不在这些东西中间，而在阁楼角落里那间未完工的房间里。奈德几乎一眼就发现了它，好像它能发出声音呼唤他一样。

当他蹲下身把手搁在枪盒上的时候，他能听见自己心脏怦怦直跳的声音。过了一会儿，他一直走到阁楼的楼梯口，又听了一会儿。

他回到小房间，打开盒子，拿出了雏菊气枪。他双手

紧握着它，站起来，走到楼梯处，一直走到下面的厨房，没弄出一点儿声响。他把枪稳稳地靠在墙上，回到楼上去取鞋。

当他到了外面，彻底离开门廊时，便坐在地上穿上了鞋。他知道现在他必须试一下这支枪，就试一次。然后他就能做到父亲叮嘱的那样：别把心思放在枪上。

他回头看了一眼他家的房子。房子那庞大、黑暗、几乎看不出形状的影子躺在地面上。它周围是小一点儿的树影。

他开始顺着车道走，因为它是弯曲的，能到达看不见房子的地方。他朝小马棚走去，天气不好时爸爸会把帕卡德车停在那里。当车道快到棚子时，那些小路几乎长满了杂草和小树丛。那是一个旧马棚，比他家的房子年头还长。粗凿的石头铺成了地基，常春藤爬满了大部分半倒塌的房顶。妈妈对他说过，她的那匹黑马科兹莫就在这儿拴过，夜晚她都听惯了它那柔柔的嘶叫声和马蹄碰踢马棚地面的砰砰声。

夜晚的天空已经发生了变化，薄薄的云朵飘过月亮的表面。片刻之间微风乍起，吹得长在地基上的高草沙沙作响。爸爸说过，要不了多久马棚就会倒下来的，和杂草融在一起——这又是一件他应该料理但却没钱或没时间料理的事。

奈德的听觉很敏锐。他能听到安静的夜晚里鸟儿的声音，以及在田野的干草里到处走动的田鼠、野鼠或者浣熊发出的沙沙声。

他把枪举起来放到肩膀上，他记得去集市那次，爸爸把他带到射击场时就是这样做的。他顺着枪管瞄准，先对着松树，然后慢慢从东面的山脉、哈得孙河到斯托姆金山的西部山脊转了很大范围；他瞄着一棵挡住梅克皮斯大厦的枫树上方，又瞄向后面有他家房子的斜坡。这样一直下去，直到他转了整整一圈。现在他正面冲马棚这面呢。

当他眯起眼，然后又大大地睁开右眼的时候，他看见一个黑影映在石头上，月光把那黑影变成了灰色。一瞬间，影子好像活了一样。还来不及想一下，他的手指就扣动了扳机。

他听见“嗖”的一声响，是北美鹑越出丛林时发出的声音，然后是一片寂静。他确信枪声不大，不会震醒家里任何人。然而他听见了什么声音，空气中的一种轻微的骚动。他走到马棚那里，那影子不见了，什么东西都没有。他或许只是做了个梦，梦见自己开了枪吧。

当他顺着车道往家走的时候，他感觉累极了，无精打采的。看起来要很长时间他才能爬进床单下面睡觉了。他感觉那支枪松松垮垮地挂在他身体一侧。他已经

对它完全失去了兴趣。

当他走到能看见他家房子的地方时，房子几乎消失在黑暗里了，因为云已经布满了天空。他抬头看了一眼阁楼，他不得不再返回那里去，把枪放回盒子里。

他一动不动地站着。他确定那儿有一张面孔，靠在玻璃上，向下看着他，就像几年前精神病院那个人通过密密的黑色铁丝网向下看他一样。

第三章

老 人

“生日快乐，奈德。”妈妈说。她穿戴整齐，坐在轮椅里。从门那里，他看见她手里拿着什么东西。“来这儿。”她说道。

有时早上他走着去上学，有时爸爸开帕卡德车送他。不变的是，当他用胳膊夹着书、踮着脚尖儿路过母亲的门口下楼吃早餐时，她的门总是关着的。他不记得她起过这么早就为了祝他“生日快乐”。这就是说，爸爸很早就起床了，他要起来给她梳头，帮她穿衣服，把她抱到椅子上。当他走向妈妈时，顺手把书放到了床上。他感到害羞，还不习惯在一天开始的时候看见她。

她张开了手，手掌上放着一块金怀表——几乎和教堂圣饼一样扁平，表链像金蛇一样绕在她的手指上。

“这块表是我父亲的，”她说道，“现在是你的了。”她把表举到他面前。他接过来，放到耳朵上听。它发出轻轻的滴答声。“现在你可以把它放在你枕边。当你离开家去

上大学的时候，就可以把它揣在兜里带着，那你任何时候就都能知道时间了。”

他像每天一样看着妈妈的手。她的拇指关节比昨天肿得更厉害了。“谢谢你，妈妈。”他说道。

“我想，你看到外祖父的时候年纪太小记不得他了。我确信，假如他知道他的表给了你，他会很高兴的。表的背面还有他的名字呢，你看到了吗？是他从诺福克报社退休时报社送给他的。”

他感觉表在手里暖暖的，好像有生命一样。

“希拉里舅舅给你留下一个埃居。在爸爸那儿呢。那是一枚法国的金币，很古老。我想这是个绝佳的生日。”她笑了。他感觉她看上去有点儿反常，好像她还想说点儿什么，正在考虑怎么开口。他突然感觉焦躁不安，希望自己已经离开了，到房子外面了，在上学的路上了。这是他和她在一起不常有的一种感觉。但是他就是有了那种感觉，那种局促不安的感觉。

“他对枪的事感到抱歉。”她眼睛看着自己的手慢慢地说，“他意识到他应该先和你爸爸说一下的——在把枪给你之前。”

奈德感觉脸红了。现在她正看着他呢。他躲开了她的目光。“我也不喜欢枪。”她轻声说道，“我害怕它们。”他默不作声地站在那里，说不出话来，他感觉自己正在对她撒谎呢。“哦，奈德！”她大声叫道，“我也很遗憾！”

“我得走了。”他喃喃地说着，慢慢退出房间，跑下楼梯。

他的同班同学为他唱起了“生日快乐”歌。有些男孩儿偷偷地笑着，有些女孩儿咯咯地笑着。杰斐逊小姐带来她自制的甜点和一篮子乔纳森苹果。为了向奈德表示祝贺，她读了一章杰克·伦敦的小说《野性的呼唤》。教室里很闷，热得好像还是八月份的天气。其他孩子们看看他，然后互相看看，并时而咧嘴笑笑。

晚上，斯卡罗普夫人把她做的蛋糕拿到楼上妈妈的房间里。爸爸端来一大罐子鲜柠檬水和奈德的礼物。布鲁斯特小姐送给他一本《金银岛》；教堂妇助会送给他一本卢迪亚·吉卜林的诗集；爸爸送给他一件棉外套、一本名叫《罗宾汉和他的快乐伙伴们》的书和一本地图集，这样他就能知道他那些邮票发行国的位置了。

“你必须吹灭所有的蜡烛，不然奇怪的命运就会降临到你的头上。”斯卡罗普夫人警告他。

妈妈听了，大声笑起来。“哦，斯卡罗普夫人！”她大声叫道，“奇怪的命运已经降临到我们所有人的头上了。”

奈德吹灭蜡烛，每个人都鼓起了掌。他把蛋糕切成很多块儿，递给在场的所有人。斯卡罗普夫人送给他的

是一块儿地毯，奈德想那是他看见她做的所有地毯中最难看的一块儿了。她说，放在他的床边会很好看的，当天气变冷时，踩在上面会很舒适。当奈德独自待在自己的房间里时，心里很高兴。他找到了一堆关于动物故事的剪报，是几年来他从报纸上剪下来收在一个旧鞋盒里的。他感到有点儿不好意思，都这么大了，还在读桑顿·伯吉斯的漫画书。但是长时间注视着一只胖兔子站在树跟前或者站在一小块蔬菜地里的画面，确实让他心情很舒畅。他的生日快过去了。除了永远修不好的厕所抽水马桶漏水的声音外，房子里渐渐平静下来。

突然他撕碎一沓故事剪报，把碎片丢进废纸篓里。那块金表在他的梳妆台上滴答作响，他的新书就摞在金表旁边。这真是很难熬的一天。他知道都是那支枪惹的祸，他为自己做过的事而焦虑不安。只有几天的时间，那种焦虑已经成了他的心理负担。那天夜里，他真的看见一张面孔从他家房子的一扇窗户向下看他了吗？如果他看见了，那一定是斯卡罗普夫人。但是如果是她的话，如果她看见了那支枪，那她为什么什么都不说呢？或许他拿枪的方式让她看不见那支枪。是气枪比他以为的响声要大得多，把她吵醒了吗？

好像它溜进了马棚，马棚的墙壁出现在他面前。他看见一个影子突然一动，或者是月光晃动，或者是微风

吹弯野草，他身不由己地将枪口对准了它，手指扣动了扳机。他晃了晃脑袋，那个东西就消失不见了。他真希望舅舅没有来过啊。

爸爸说过，别把心思放在枪上。这句话他听进去了。他可以告诉爸爸他做的事，毕竟，爸爸不会像比利·加斯克尔的爸爸那样做。他听说比利的爸爸因为微不足道的小事就用皮带抽比利。不会的，爸爸只会露出严肃和失望的表情，之后会原谅他的。

奈德把头伸进枕头底下，不知什么时候睡着了。

接下来的四个礼拜，天气依然很炎热。讲道坛周围的花一小时就打蔫儿了。老蒂姆斯热得昏昏沉沉，鼾声打得很响，像一把电动小圆锯一样锯着圣歌。从教堂回来的路上，从帕卡德车窗吹进的风感觉就像是直接从火炉上吹过来的。

礼拜天的晚餐吃得很早。当奈德在门厅吃晚餐的时候，天空像着了火一样热，修道院晚祷的钟声好像是穿过滚烫的柏油路传来的。

他上去看妈妈。她的轮椅托盘桌上放着一把蒲扇，她的身体趴在上面。他帮她扇风，扇了好几分钟。她微笑着表示感激。“人能预测任何事，就是预测不了天气啊。”她小声说道。

哈得孙河是墨蓝色的,看起来就像水盆里的水一样纹丝不动。

"你没事吧,小奈德?"她的问题出乎他的意料。她说得很急切,虽然话很平常,但却穿过他的身体直抵他心灵的痛处。

"我得写一首关于秋天的诗。"他慌忙说道,"应该明天交,我还没写呢。"

她将头靠在轮椅背上静静地看着他。

"嗯,我想的是,我要写吉卜赛人的爸爸。今天在沃特维尔镇公路边我看见了两辆大篷车,"——他停了一会儿,目不转睛地看着她很感兴趣的目光,那种目光就像亮光一样显而易见——"很多瘦瘦的黑狗到处跑,孩子和女人们都穿着鲜艳的衣服。爸爸说他们常常十月份来。"

"那是个奇妙的想法,奈德,"她说,"秋日里的吉卜赛人。"

他确实有作业,但一周之内不必交,而且也不是写诗,而是描写大自然的景色。他能够哄骗妈妈了,这让他感到有点儿恶心。

谎言很整齐,就像你可以用钉子、薄木板和胶来做的小盒子。但是真理却像阁楼里的杂物一样蔓延得到处都是。一想到阁楼,想到未完工的房间和里面的东西,他就感觉好像有只巨手给了他一巴掌。

妈妈正注视着他。他突然意识到她在试图读懂他的表情，这使他突然有种如释重负的奇怪感觉。他的话没有让她完全信服，他说话的方式他自己都不明白，这使他感觉更安全一些。

第二天，就是十月的最后一个星期一，早上就很热，但是奈德感到了空气中的异样。或许是树叶和草叶完全静止了——那是一种等待。

多数下午，奈德都和其他孩子们一起走回家。这天，他们一起快速穿过州际公路那滚烫的沥青路面，然后走到急弯土路时分开。奈德迫不及待地望了一眼那凉爽而神秘的石头房子。比利·加斯克尔，一个跟奈德同年龄但比他高比他胖的男孩，开始捡起小圆石子往他们前面扔。石子落地弹起阵阵灰尘。经常不系鞋带看上去也不梳头发的伊芙琳·金博尔尖叫着，好像比利每扔一个石子她都被扎了一下。但是珍妮特·霍夫曼却独自一人费力地往前走。她长得很瘦，和她后背那长长的马尾辫一样瘦。奈德希望伊芙琳能够闭嘴。天气本来就炎热，加上她的尖叫声使人更难受。他漫步走到壕沟边上，想在那儿停一会儿，让他们走在他前面去。地上放着一根看上去很有意思的棍子。当他弯腰要把它捡起来时，它很快扭动着身子爬走了。他顺着壕沟往远处望去，又看见两

条蛇。一条橙棕色，像第一条一样；另一条是白色，身上带绿色楔形斑纹。

“啊！蛇！”伊芙琳惊讶地喊道，过来站在他身边。

比利咚咚地向他们跑来。“你们看什么呢？”他看见了那些蛇。他像闪电一样快速弯腰抓起了一条蛇。“拔掉毒牙！”他喊道。

一切都在瞬间发生了。珍妮特低头像头小山羊一样向比利的肚子撞去，把比利撞得平躺在地上。那条蛇逃脱了他的手，落在壕沟另一侧的高草里，弯弯曲曲地爬走，看不见了。“蛇也是人！”珍妮特喊道，“你这个野蛮的家伙！”她坐在比利身上，用那瘦瘦的还结着痂的膝盖按住比利那粗粗的腰，抓住他那稀疏的棕色头发拉起他的头，接着又松开手让它撞到路面上。

比利起身站起来，珍妮特翻倒在路上。伊芙琳快速抓住她的胳膊把她拉起来，拍掉她裙子上的灰土。奈德很惊讶比利居然在咧着嘴笑呢。接着他开始大笑起来，拍打着膝盖笑得腰都直不起来了。

“哈！”伊芙琳调侃道，“这次你得到教训了吧，比利。教训你的是个九岁的女孩子。哈哈！哈哈！”

比利若无其事地继续走他的路，他耷拉着肩膀，奈德感觉他看上去像刻在五分镍币上的水牛。他家住在离奈德家岔路口恰好一英里的地方。无论天气怎样，都没人开车送他上过学。过了树林就能看见珍妮特家的小路了。就在她转向小路时,奈德钦佩地说:“很好——我是说你做得很好。可是,蛇确实不是人。”

“它们有生命啊。”她说。

“比利太笨了,都不知道自己是被撞倒的。”伊芙琳边说边和他一起走。现在比利已经远远地超过他们了。“我爸爸说是炎热天气把蛇逼下山的。”她继续说道,“我在院子鸡舍附近看见了两条。”

“为什么他想把它们的毒牙拔出来呢?”

“那些年老的蛇甚至没有毒啊。它们没有毒。他太坏了。他就是想对它们做坏事。”

“但是,为什么呢?”奈德咕哝道。

“你看见珍妮特那样撞倒他了吧!他甚至都不试着还手。他有珍妮特两倍大呢。真是个傻大个儿……”

正说着,她让一个土堆绊倒了,身体周围扬起了灰尘。当她站直身体时,他看着她的脸,她那黄眼睛里透出不屑的神情。他能想起的是,金博尔一家一直住在他们那摇摇欲坠的大房子里,从他八岁起他就和伊芙琳一起放学回家。但是她以前从没跟他说过这么多话,是蛇让她变得滔滔不绝。他知道妈妈喜欢金博尔夫人。当金博尔夫人来照顾妈妈时,他会听见金博尔夫人称呼她为“亲爱的”和“宝贝儿”。金博尔先生是个木匠,但是他并没有多少活儿。爸爸曾经说过，他无法想象这个穷人怎么养得起那么多的孩子。

“有时我追着鸡跑。”伊芙琳用一种充满信任的声音对他说，“它们边跑边叫，就像疯了一样。”

“但是你没在伤害它们，是吗？”

“没有。我就是吓唬它们玩儿。妈妈扭断它们的脖子，然后我们吃肉。”

“那一定很疼。”

“哦……那样才能杀死它们。”她突然大声笑起来。“那个珍妮特，长成那样，像个瘦瘦的小甲虫！”她挥挥手，转向通向金博尔家院子的路，很多小鸡在那些旧汽车零件和一堆堆的厚木板周围用爪子刨着土。奈德看见一个小男孩儿，他上身穿着大人衬衫坐在翻过来的浴盆上。“艾维！”小男孩儿喊道，“艾维回来了！”

奈德向左离开土路，走到田野里他以前踩出的小路上，那条小路一直通向州际公路，下面几百码的地方是斯卡利先生家的邮筒。他从邮筒里取出沃特维尔报纸和一封信后，又爬回小山到斯卡利先生家。他敲了敲厨房门，不久就听见斯卡利先生在里面移动脚步的声音，那声音就像纸袋子里的老鼠一样。他家的纱门已经生锈了，能挡住马蝇却挡不住家蝇。透过纱门，奈德能闻到柴灰和干苹果的味道。

“你好，奈德。”斯卡利先生招呼道。他弯腰驼背，体形很小，穿的还是那件旧绿黑两色的羊毛呢衬衫和黑裤子，这两件衣服他一直穿着。他突然打开门，奈德不得不先跳下台阶，然后再跳回来在纱门关上之前闪身进屋。斯卡利先生盯着奈德手里的信。尽管大多时间他行动起来慢得像蜗牛，这会儿他却一下子抓起厨房桌子上的眼镜，伸出手来要信。他看了看，叹气道：“哼！是医生寄来的账单。”奈德知道他一直在盼着女儿桃丽丝的来信，几年前她离开这里到西部去了。

厨房里很黑，有一扇窗户，但很脏。黑夜降临之前斯卡利先生不开灯，不管是电灯还是煤油灯。奈德开始干家务活儿了。他抽出水，开始洗斯卡利先生从昨天晚餐一直到今天午餐留在破搪瓷盆里的餐具。有一个杯子、两个盘子、一个小锅、一个长柄平锅、两把叉子和一把锋利的小刀。洗完这些，他开始打扫厨房和客厅。虽然斯卡利先生棚子里存有许多砍好的木柴，但他还是会让奈德劈碎一些做引火柴。他担心是否有足够的柴火来度过寒冷的天气。有时下午奈德给他铺床。斯卡利先生不用床单，只用毯子。铺完床，就该整理斯卡利先生的盒子了，通常他们每周整理两个。那些盒子堆放在客厅里，是奈德把它们从阁楼里拿出来堆在那儿的。

“我曾经是年轻的戴维·斯卡利。现在我是老戴维

了。"当他最初决定整理他所有东西的时候对奈德这样说。"到我把房子收拾得井井有条的时候了。"他说。每次发现盒子里有个明信片,他都送给奈德让他收藏。多数东西他都放进旧枕头套里再扔掉。

斯卡利先生还能开着他那辆旧A型小轿车沿着土路去州际公路,再开两英里到一家小型综合商店买杂货。他还能自己做面包和苹果酱。但是奈德知道,他担心他可能很快就照顾不了自己了。他害怕冬天。

这是一座很老的房子,地板吱吱作响,窗框几乎要烂掉了。一刮风,风就能穿过房子,好像房子就是个筛子。上次斯卡利的女儿来东部的时候,她让人在房子里安了内部管道,又给他买了煤气炉和电冰箱。然而斯卡利先生还是用厨房的那个抽水机,也从没往冰箱里放过一样东西。有一次,他有点勉强地对奈德说,厕所比外屋的好。

尽管如此,老人还能为自己做很多事情。帮他干了几个月的活儿之后,奈德渐渐意识到,其实,斯卡利先生只是需要有个人一天来陪他一个小时左右而已,而不是帮他干活儿。

"咱们这几天要抽出一天的工夫清理一下院子。"斯卡利先生说。他和奈德从落满灰尘的窗户往院子里看。院子看起来很乱,有一堆磨光了胎面的轮胎,一把靠在一棵树上生了锈的长把镰刀，小棚子顶的正下方有个丢弃的冰箱，上面摞着个破了的旧被子，还有很多其他东西，但已渐渐变得和地面的颜色没什么区别了。

“你多大了，奈德？我知道你一定告诉过我，我很健忘。”

“我刚刚十一岁，”奈德回答道，“我的生日在上个月。”

“我比你大六十九岁。”斯卡利先生说。他撅起嘴好像要吹口哨，却勉强地轻轻笑了笑。

窗外枫树上的叶子变成了棕色，上面有些斑点，看起来就像斯卡利先生手上和额头上的皮肤。

“你注意到白天正在变短吗？很快就到感恩节了。看外面那些乌鸦，它们知道冬天就要来了。”

奈德把刷完的餐具放到白铁皮灶台上控水。没有吸水布。现在很难想象冬天，很难想象所有的田野都是那样光秃秃的。

老人正手忙脚乱地调着新炉子的煤气火焰，新炉子挨在他冬天用于厨房取暖的大个儿黑色富兰克林牌炉子旁边。他在沏茶，和往常一样，给他自己和奈德沏茶。他会从一个小瓶子里往他的杯子里加几滴酒。“朗姆酒，”奈德第一天来为他干活儿时，他对奈德说，“能让我暖和点儿。人老了很难保暖。”

干完杂活儿，他们就开始整理客厅里的一个盒子。当他收好要烧掉的废物或者要送人的旧衣服时，斯卡利先生就会拿起他保留的纪念品给奈德介绍。奈德知道那是斯卡利先生最想做的事——让奈德听他叙述往事。

“看见这块石头了吗?”当他装满一袋子关于泰坦尼克号沉船的旧剪报时，说道，并说他都想不出来他当初为什么要把这些东西留起来。“这实际上是一块皂石。看看上面刻的是什么字。”他把它放进奈德手里。

皂石摸起来有种油油的感觉。奈德辨认不出上面刻的是什么。

“是汉字，这些符号是好运的意思。哦——我把它作为生日礼物送给你——尽管你的生日已经过去了。我可怜的叔叔不会同意石头里有很多好运气的说法。他在旧金山地震中死去了。当他们把他从房子下面拉出来的时候，这块石头就嵌在他的胸膛。这是个异教徒的东西。我想不明白他为什么戴着它。”他突然笑起来。这不像笑声，倒像是呵呵的叫声，奈德心想。

“谢谢你。”他说。知道这块石头30年前曾经埋在一个人的胸膛里，他心里感觉有点儿不舒服。

“想象一下!”老人大声说，“这个世界上你摸到的每件东西都是有历史的。喝茶吧，茶能让你凉快下来。你知道热茶能让人凉快吗?生活充满了自相矛盾啊。”

他们看完了一本相册，那些黑色页面由于贴了锡版相片和发黄了的相片而变得很厚。斯卡利先生翻得很慢。“我母亲。”他指着一个年轻姑娘的彩色锡版相片说。姑娘的前额上是厚厚的鬈发。“照这张相的时候我甚至还没出生呢。”他冥想着说，“生命很奇怪。”他又指着另一个身穿军装、握着一杆枪的男人说：“这是我父亲。”

“他为什么有枪呢？”奈德问道。

“那是内战期间。我父亲是战士，在战争中牺牲了。1862年9月14日，他在南山战役安蒂特姆战斗中受了伤，回家后死的。奈德，当时我六岁。现在我还能看见他，就像看见你一样亲切。他躺在波基普西市家里的床上，他的脸像亚麻床单那么苍白。我来到父母房间的时候，我母亲正俯身看着他，伸手摸着他的脑门儿。我记得她的手指有多瘦，她的婚戒滑到指关节上。和那只活生生健康的手在一起，父亲的脸显得尤其苍白。接着她把戒指贴在他的脸上。”

他突然向上看了一眼，用力吸了一口气：“就要变天了。我能感觉到暴风雨就要来了。”

奈德本想知道更多关于南山战役的事。他盯着锡版照片上的那支枪看，同时想起了握枪的感觉。

“他看上去很自豪，是吗？或许是因为他头抬得太僵，表情太严肃吧。想象一下，某个南部将要杀死他的男孩儿也在拍照,也穿着军装握着他的那杆枪。”他合上了相册。“我要留着它。”他说。

看起来斯卡利先生累了,他的下巴微微向下张着嘴,他的话不时地变得含糊不清,好像说话时嘴里含着块海绵。奈德把他们的茶杯拿到厨房刷干净。天空暗了下来,但在州际公路的另一边那隆起的远山上,仍有阳光在照耀着。

他把茶杯放到灶台上。下周,或许,他要开始清理院子了。他从窗户往外看,思考着从哪儿开始干起。这时,他看见了一只憔悴的猫慢慢地离开了外屋。

“院子里有只猫。”他大声对斯卡利先生说。

“偶尔我会看见一只。”老人在客厅里说道,“有些猫生活在你路过的那片树林里。野猫——变野的猫。在暖和的月份它们活下来没有问题,但冬天多数会被冻死的。”

奈德盯着那只猫看了一会儿。

“这只有点儿问题,看起来生病了。”他说。

他听见斯卡利先生呻吟着站起来,然后拖着脚走进厨房,奈德注意到他穿的是拖鞋。今天他一定感觉不太舒服,奈德心里想。如果他感觉好,他就会穿着侧面扣着扣子的那双黑鞋。他走过来站在奈德身边,身体向窗户倾斜。

“它看起来像已经熬过冬天了，”斯卡利先生说，“可怜的家伙。从那条面包上撕下一些来，掰成碎块，再倒上点牛奶。”他吩咐着奈德，“你可以用那个碗，把它放在外面那棚子附近。它看起来确实够野性的。”

那只猫是灰色的，像鼹鼠一样，毛很蓬乱。当它往房子这边看时，它不停地摇头，好像要躲开什么东西，那东西影响它的视力。

“它怎么了?”奈德问道。

“饿了。”斯卡利先生回答道，“不，等等。出问题了。”

“它有只眼睛紧紧闭着呢。”

那只猫离房子更近了。

“眼睛没了，”奈德说，“只有一个小孔。”他感觉有点儿害怕。

斯卡利先生紧靠着灶台。奈德能看见他呼出的气。

“你说得对。”斯卡利先生说，“寒冷有时会让它们变成那样。它看起来够大了，可能是去年出生的。或许是有人把它当成靶子来练习射击了。男孩子会这么干。活靶子比罐头盒更有趣。或者是它和另外一个动物进行过一场恶战留下的。”

“它脸上似乎有血渍。”奈德说。他感觉他的声音听起来很奇怪，很遥远。他拿着盛有面包和牛奶的碗，走到外面棚子那里，把碗放进棚子里靠近木柴堆的地方。当

他站起来的时候，一阵微风吹动了炎热的空气，紧接着风就消失了。

这是一种极端的静止，好像地球本身停止了呼吸。唯一在动的是外屋房顶附近的那只黄蜂。奈德一直看着它，看它飞的圈越来越小，直到突然消失为止。也许它的蜂巢就在屋顶下方，也许在外屋后面杂草丛生的地方有蛇。他突然想起了珍妮特用自己的全身撞向比利，让那条蛇逃脱比利双手的情景。有个想法在他头脑里嗡嗡地盘旋着，这个想法刺痛了他，就像黄蜂叮了他一下。

斯卡利先生说了，野猫生活在那片他夏天看书的枝繁叶茂的树林里。在他家房子和树林之间的就是那个旧马棚。

奈德拿枪射击过。他看见什么东西沿地基的石头移动了。那不是风中的高草在动，而是一个活物。他违背了父亲的话，打到了活物。他意识到就是那只猫。如果珍妮特那天夜里看见他向那个东西射击会怎么对付他呢？他告诉自己那只是个影子，他真认为那只是个影子吗？影子会让他感到这么警觉吗？会让他的听力敏锐起来吗？会让他的心怦怦直跳吗？

几年前，女教徒们尽她们最大努力，装满一大篮子蛋糕送给爸爸做生日礼物。爸爸把那个篮子带回家，把蛋糕放在厨房桌子上，一共有五个。爸爸摇了摇头说：

"也不事先说一下,真应了《圣经》里那句话,左手不知右手在做的事。我真想不出她们为什么不把事情计划得稍微好一点儿呢!"他拿出来三个要送给金博尔家,一个要送给斯卡利先生,但留下一个巧克力的。奈德最喜欢吃巧克力了。当所有人都睡着之后,他起床,走到楼下厨房,吃了好几块蛋糕,直到撑得快站不起来了。第二天他病倒了,待在家里没去上学。

他能准确地回忆起当时的情形。他站在黑暗里,两只手抓着湿漉漉的蛋糕,把蛋糕块儿往嘴里塞着。他明知不该这么做,但还是紧闭双眼陶醉其中。

早上,当他疼得直抓肚皮时,爸爸拉过一把椅子坐到他的床边,用一种特别温和的声音跟他说话。每当爸爸试图教育奈德时,都用那种谨小慎微的声音。"我知道蛋糕好吃。"爸爸说道,"一个东西好吃并不意味着我们可以想吃多少就能吃多少。"

他起初还弄不明白爸爸怎么知道他干了什么。后来,当他能够悄悄下楼,他看见了盘子里那些蛋糕残渣。

"来这儿,我的小猪。"妈妈说,"我知道夜里你让一个巧克力蛋糕神奇地消失了。"

现在,他想起了他把脸贴在妈妈大腿上的情形,想起了他说他永远不会再那样做了,想起了妈妈摸着他的头发说:"是的,我们总是这样说。"他意识到这一切有多

幼稚。他曾做过的所有坏事和希拉里舅舅来的那天夜里做的事比起来,是多么幼稚呀。

他环顾院子,那只猫不见了。他希望再也不要见到它了。他回到厨房里。

“暴风雨快来了。”斯卡利先生说。奈德站在他身边,看着他那柔软的上了年纪的嘴,发暗的牙齿,研究着他散发出的枯叶和朽木的味道。

“我把给猫喂食的碗留在外面了。”他说。

“现在它很难猎食了。在地面结冰之前,这些猫靠啮齿动物能生活得很好。我会把食物给它留在外面的。或许它能够自己觅食。”

奈德认为它不会觅到食物的。他看见了那个口子,干血渍,和鼻子一侧本该是眼睛的角落里那类似小虫的黏液。

他慢慢地走上长长的回家之路。他家的房子在黯淡的抗风灯光里像书中的城堡图。他记不得那天夜里那张面孔是从哪扇窗户往外看他的。他想,毕竟那或许不是人的脸呢;或许是一顶旧船夫帽从阁楼里一个钉子上垂了下来。可帽子不能自己移到窗户上的,那一定是斯卡罗普夫人了。现在,在他看来,如果斯卡罗普夫人看见了他带着枪,不管怎样,她会知道那只猫的事了。然而又不像是她——如果她知道了,她是不可能不跟他说的。他突然颤抖一下，就像爸爸打开地窖门把他吓得直发抖一样。

他在门厅里待了一会儿，向下看着那条河。一排小鸟穿过厚厚的乌云画出一条黑线。妈妈能知道它们是什么鸟。也许她也在注视着它们，从凸窗那里。忽然间，世界之中，万物之间，他最想见到的就是她了。

“进来，小奈德。”纱门后面的斯卡罗普夫人小声说，“我给你准备了些好喝的凉牛奶。斯卡利先生怎么样？上周我看见他在家里闲逛，感觉他很虚弱。这些天他们会来把他带走。”

他不想问，可还是问了：“谁？把他带到哪儿？”

“啊，嗯……”她叹息着说。他推开纱门，她慢慢地朝厨房门口退去。他闭紧嘴巴，不再问她。当他把手放到楼梯扶手上时，她轻声地说：“当然是养老院了。我们所有人老了没用了的时候，都得去那里。真的，奈德。这就是我对人那么容忍的原因。我说的是——人们在这一生中受的苦已经够多的了，我为什么还要给他们增加痛苦呢？不过因此我就变得容易感情用事了。”

奈德一次迈两级台阶。

“别那么吵啦！”斯卡罗普夫人咆哮道，“想想你可怜的妈妈！”

妈妈正朝河那边看呢，一种极大的渴望在他心中升

腾。如果她能站着向他走来,用双手搂着他该多好啊!他看见她走过,不仅在记忆里或者在梦里,还有在拐杖和爸爸手臂的帮助下。但是太少了!

她转身看着他。她少有地从托盘桌举起左手手指向他挥了挥。他走向她。“奈德。”她有力地说出他的名字,就像她说“是的”或者“河”一样有力。

“斯卡罗普夫人说斯卡利先生要被带到养老院了。”他告诉她,“她说她感情容易激动。”

“斯卡罗普夫人对未来一无所知。”她说着,用她那温暖弯曲的手指摸着奈德的手腕。“你必须小心那些感情容易激动的人。那不是正常心态,那样会使你的内心空虚、脆弱。”

托盘桌上有一本名叫《米德尔马契》的书。“这本书讲的是什么?”他这样问妈妈时,突然感觉很累。他的肩膀下垂,甚至膝盖都感觉累了。

“几乎所有的事。”她说,“是关于生命的。我想你这一天过得很难,奈德。有什么心事吗?有什么让你担心的吗?”

他心里压着很多事。妈妈的手指从他手腕上滑下来。如果他把猫的事告诉她会怎样呢?他想象着如果他告诉她了,她会是什么表情——恐惧!

斯卡利先生说过,冬天会伤到它们的眼睛。也许是

动物间打斗打伤的，就像老人说的那样。如果那只猫回到他待过的那个院子，或许他可以离近看一看，毕竟有可能眼睛还在那儿呢！有可能另一只猫抓伤了它的眼睑，抓得太重……

“爸爸回来了。”妈妈说。奈德听到帕卡德车艰难地开上长长的斜坡，转过房子的北边，爸爸常把车停在房北的山楂树下。但这次车并没有停下。奈德意识到爸爸正把车开到马棚那里。

“我很高兴他回来了。”妈妈说，“我想我们要经历一场猛烈的暴风雨了。”

斯卡罗普夫人在门口嘀咕着。

“说出来吧，斯卡罗普夫人！”妈妈尖声说道，“我还没死呢！”

“哦——我只是在说，奈德的牛奶就要放温了，他不喜欢那种温度。”

妈妈对他坏笑了一下，放低声音说：“最好下去喝了它吧……”

突然他几乎也感到高兴了。他匆匆走过斯卡罗普夫人身旁，下楼到了大厅，正好碰到爸爸扛着两大袋子杂货回来。“帮帮我，小奈德。”他大声说。奈德抓过一袋土豆。“天哪！在车道脚下我差点儿撞到一只可怜的猫。我想我们要遭遇一场暴风雨了。”

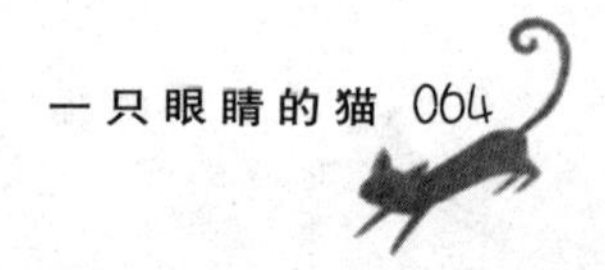

天很黑，像黑夜一样。爸爸匆忙进了厨房，奈德看着他近似紧张地快速扔掉杂货，当他做他不喜欢做的事情时，就是这样。奈德见过他打扫卫生时也是这样。做晚饭时，他从桌子到炉子之间动作很快，几乎跳跃着，直到完成所有任务。可在教堂他就完全不同了，神情庄严，行动缓慢，从一个环节进行到另一个环节，威严如管风琴的音乐一样。那音乐像喷泉一样从圣坛后面的那些管子喷出，宁静的声音根本不受唱诗班里颤抖不稳的声音所影响。

“我可以开灯吗，牧师？”斯卡罗普夫人问着，闪身进了厨房。厨房里总是很暗，只有傍晚很短的时间能有一缕阳光照进厨房的窗户，像一块金色的布横在厨房桌子上那块破油布上。

“当然，斯卡罗普夫人，”爸爸说，“你不必等我同意，你知道的。”

“哦——我想得周到，牧师。”斯卡罗普夫人说。奈德想，他还从没见过这么自夸的人呢。斯卡罗普夫人拿出他那杯牛奶递给他。

“那猫是灰色的吗，爸爸？”奈德问。

“我没注意，小奈德。你在学校过得好吗？”

“好。”奈德说。他接过玻璃杯，谢过斯卡罗普夫人，转身去喝牛奶了。他不太喜欢让她看着吃东西。她去食

品室了,奈德感觉轻松多了。每当她从他身旁离开时,奈德都会产生那种轻松感。爸爸在厨房水池洗了洗手,擦干,坐到桌边一把椅背成梯状的高背椅子上。“谢天谢地我已经装上了避雷针。”他边说边看着窗外天空那黑压压的乌云。

“你认识比利吗?他想拔出一条蛇的毒牙。”奈德汇报说。

爸爸做了个鬼脸。

“珍妮特·霍夫曼阻止了他。她直接把他摔倒在地上了。”

“你确定他是要拔毒牙吗?我认为这周围没有毒蛇。”

“我不知道,爸爸。可是比利要伤害那条蛇。”

“我猜他不知道他会伤害到它。或许他不明白蛇会感到疼。”

“可是他知道!”奈德大声说,“每个人都知道!”

“哦,这场暴风雨将会冲走一切。我们要有真正属于秋天的天气了,有点儿霜冻……”

奈德靠在椅子上,感觉困了。“蛇整个冬天都要睡觉,”他柔声说,“在它们的岩石宫殿里。”

爸爸笑了,把手伸过桌子握住了他的手。

“我喜欢你这么说,奈德。”爸爸评论道。有一会儿奈

德的感觉好像又回到了过去。去年7月4日沃特维尔游行活动之前，他滑进爸爸带他去游泳的湖里，湖水不凉也不热，他发现自己能游得差不多和水鲱一样快了。还有一回，一天晚上吃完晚饭，他一直坐在门厅里看书，爸爸给他端来满满一瓷碗蜜桃冰激凌，那是他自己用鲜桃和高脂稀奶油搅拌而成的。那件事让他大吃一惊。奈德吃的时候，爸爸坐在台阶上。奈德看着他的侧面，清晰完美，就像在地毯上擦得闪闪发光的硬币上的侧面像。热了一天的黄昏如此柔和，空气中充满了桃子的芳香。

于是奈德有些颤抖了。

"你不会无意中伤害一个动物，对吗？""确实会的。奈德。恐怕我碾过很多负鼠。它们被车的照明灯晃得看不见，当我看见它们的时候总是来不及躲闪。"

"真叫人松了一口气。"奈德说。爸爸笑了。他知道奈德在模仿他说话。当下雨房顶不漏，或者井里溢满特别好喝的水，或者他感觉进行了一次成功的演讲时，他常说"真叫人松了一口气"。

当奈德离开厨房上楼做作业时，他并不觉得如此轻松，一个想法悄悄溜进了他的心里：要是你并不太清楚你在伤害什么活物怎么办？

在楼梯上，斯卡罗普夫人从他身边经过时嘀咕道："今天晚上吃羊排。"

雨开始下了起来，连绵的大雨下了好几个小时，接着从河的上游传来了一声巨响，像远处响起的大炮声。那时奈德已经上床了，正在读罗宾汉智取诺丁汉治安官。炮声越近，雷的霹雳声越响，闪电越强。听起来那么近，以至于奈德知道很快就该下楼到中央大厅了。自从他记事以来，每当暴风雨在峡谷中肆虐时，爸爸就来抱他。不管是什么时候，只要奈德听到闪电击到大地发出的巨大的撕裂声时，他就知道爸爸很快就会来到他的门口，说："快，奈德，下楼来。快点儿！往睡衣上套件羊毛衫。"

奈德明白，为防备房子被雷电击中着火，他们必须下楼到前门附近。爸爸不完全信赖那个新避雷针。他刚想到这里，就听到父亲喊："奈德！"

他跑进大厅里。当他路过书房的时候，听见枫树枝猛烈敲打窗户的声音。爸爸正抱着妈妈往楼梯口跑去。包裹妈妈的毯子在地板上拖曳着，奈德抓起毯子角以防爸爸被绊倒。一瞬间，当蓝白色闪电的光亮照到楼梯平台时，他从穿衣镜里看见了自己、爸爸和妈妈。妈妈的头发从父亲的臂弯里垂下来，她那长长的弯曲的手指紧抓着爸爸那件旧羊驼毛上衣；爸爸的眼睛上戴着黑色神秘的护眼镜；他自己的脸闪烁着白光，他那双赤脚恰似白色的光斑在地板上移动。接下来又是黑暗，他们就都消失了。

他听见斯卡罗普夫人在砰砰地下后楼梯。妈妈的轮椅已经在前门附近了。爸爸点起了煤油灯把它放在桌子上，桌子立在一幅巨大的哈得孙河谷油画下面。画面呈现的是所有的村庄和城镇沿河岸出现之前，甚至西点军校建校之前的景色。画上满是阳光和静谧。

斯卡罗普夫人拖着一把椅子出现在厨房门口。“我不想挡任何人的路。”她宣布。爸爸说：“你想坐哪儿都可以。”同时把毯子整理一下盖在妈妈的膝盖上。

大风呼号，雷声轰鸣，闪电点亮了整个天空。奈德感觉房子在漂浮，门厅像船头一样抬了起来，好像房子已经变成了一艘大船在波浪中颠簸摇摆。然而他却感受着从未有过的安全感。在这样一场暴风雨里，和他的双亲坐在一起，听爸爸数着雷声间隔的秒数，听妈妈回忆着曾经的暴风雨以及它们的猛烈程度。

“怜悯一下在这样一个夜晚里外面那些可怜的生灵吧。”斯卡罗普夫人说，“我不禁想起它们，不像我们幸运地拥有躲避处，头上有屋顶。”

“很对，斯卡罗普夫人。”爸爸心不在焉地说。

妈妈却说：“我并不同意你的说法，斯卡罗普夫人。我想，在这样一个夜晚待在外面，身处所有喧闹声和大雨之中，不像胆怯的老鼠一样窝在令人窒息的屋子里，

是令人愉快的。”

斯卡罗普夫人没再回应。奈德看见她扫了一眼妈妈，然后把目光移向她腿上的那些布片，她正在把它们往一块儿织。干那活儿她似乎连光线都不用。

有一次，奈德在她旁边。如果你站不稳又看不见，那在外面就不会愉快了。

他想，如果你是只有一只眼睛的猫，在外面的暴风雨里就不会感到愉快了。

第四章

猫

暴风雨将夏天的尾巴一扫而空。在一周之内，茶色的蓝草已经变成了深褐色，树木黑糊糊地站在那里，在蓝天的映照下光秃秃的像骨头一样。一天早上，天气太冷了，孩子们都能看见自己呼出的哈气，濛濛的水汽几乎立刻就会消失，这使伊芙琳大声笑着喊："看，看，我的哈气！"

当珍妮特从她家的小路冒出来和他们一起往学校走的时候，她向大家宣布了一个消息，她家的猫生小猫咪了。"它们闭着小眼睛，现在还不能抱呢，要不刚好能放在手里，太可爱了！"她说。

比利发出不屑的叫声："小猫咪！"他用一只手拍打另一只手，然后用食指做出两把枪的手势。"砰！砰！我就这样对待小猫咪！"他大声喊。

"有一只眼睛上面有斑点儿的，"珍妮特说，"就像个小海盗。我就管它叫'海盗'。"

“你不能管母猫叫海盗。”比利嘲笑她。珍妮特根本不理他。

“你知道树林里全是野猫吗?”奈德问她。

“我不奇怪。”伊芙琳说,一边还心不在焉地拉扯着她棕色厚毛衣的一根毛线。

“你会把毛衣全拆开的。”珍妮特提醒她。

伊芙琳的鞋子上沾满了干泥巴,裙摆已经和裙子脱开了。珍妮特像新松果一样整洁,但伊芙琳看上去却像要散架了。她们彼此非常喜欢,奈德想,她们之间的交流很特别,常常就像说梦话一样,一点儿意义都没有。通常,奈德还算喜欢听她们说话,但自从那夜大暴雨以后,他唯一感兴趣的话题就是猫。

“你是说——你不会感到奇怪是因为你看见过一只吗?”他问伊芙琳。

“六只小猫,”珍妮特说,“一个接一个。我看见它们出生了。”

“啊!”伊芙琳惊呼。

“如果我看见一只野猫,我就追,直到把它赶上树。”比利大声说,“然后我就找根棍子或者一块石头,我就动手——狠狠打!”

“你打过吗?你看见过一只吗?”奈德问。

“我想我看见过。”伊芙琳说着,从头发里摘出一小

块鸡蛋壳儿。“看哪!”她大声说,“我就纳闷哪儿来的呢。”

“猫。”奈德提醒她继续说猫的事。“告诉我那只猫的情况。”

“一个黄昏,”她说,“大概是追鸡呢,我没太注意。我看见老斯波特一下子冲了出去,脖子上的链子都绷直了,就像鱼要挣脱渔钩一样,它汪汪直叫,我想我看见了一只猫。不过也可能是别的什么东西。”

“砰!”比利大声嚷嚷道,从珍妮特身旁跑过去。她握紧拳头向他挥动,他便像被人胳肢痒痒了般哈哈大笑起来。她顺着路追他,比利笑得更厉害了,奈德想他可能会栽倒的。人们喜欢对方的方式有时很奇怪——奈德得出这样的判断。

他转向伊芙琳,她正费力地在他身旁走着,她呼出的白气在空中飘来飘去。

“我想知道它们怎么活下去,野猫,我是说。”

“它们抓东西吃,老鼠和类似的小动物。”伊芙琳答道,“它们可是好猎手。”

“那如果它们生病了呢?”

“我最不喜欢写诗了!”伊芙琳大声说道,“杰斐逊小姐给你们班留那个作业了吗?写一首关于感恩节的诗?”

“如果猫被树枝弄伤了会怎样?”

伊芙琳用拳头打了他胳膊一下。“别再说猫了。”她命令道，“你和比利一样坏。我对猫一无所知。不过，我了解小鸡。”

伊芙琳最近很喜欢用“不过”这个词，一得机会就要用一下。

“是灰色的吗？你看见的那只猫？”

“奈德·沃利斯！”她喊叫起来。

“好好好……”

“请给我点儿写诗的建议吧。”她改用正常的声音说道。

“写南瓜。写你家所有的孩子在一起，满树林子追火鸡。”

“你在取笑我。”她说。

“伊芙琳，你能再告诉我一下是否真看见那只猫了？我想我可能认识那只猫。”

他们已经到了州际公路。他看见比利和珍妮特已经进了学校旁边的红砖墙院子。

“有可能。”伊芙琳说着跑到他前面。他独自一人站了几分钟，担心自己怎么过接下来的好几个小时，不知道能不能够静下心来听课。“专心听。”杰斐逊小姐总这样对他说。他本想回到土路上，到石头房子那儿，打开一扇窗户，爬进去，在各个屋子里闲逛。可他还是叹了口气,开始慢慢过马路。直到听见第二遍铃声响起,他才跑着进了学校。

“在雨中小鸟会淹死吗?”一天,他问斯卡利先生。

“我想不会。”

奈德感到他说得不是很肯定。“那浣熊呢?它们会淹死吗?”

“我从没听说过。”斯卡利先生说,“你得记住你在说野生动物呢。它们有它们的生存方式——尽管它们就像我们所有人一样有生有死。”

“那你给我讲的猫会淹死吗?我说的是树林里的猫。”

“我想不起来告诉过你猫的事了。不过如果你说有这事,那我一定告诉过你。我的记性有点儿靠不住了。奈德,今天早上你来之前,我就站在这里盯着旧炉子看了很长时间,完全想不起来该怎么生火。过了很长时间,记忆才恢复过来——你明白了吧。”

明亮的炉火透过炉门的缝隙勾勒出炉门的轮廓,形成了一圈红线,火炉上的烤盘热得发红。奈德知道,火很旺,这是一整天烧出来的。斯卡利先生告诉奈德,为了保存热量,冬天大多数时间他都关上客厅的门。不过他不介意关着门,他说。随着年龄的增长,他越来越喜欢小空

间了。

“过去我养了条狗。”老人摩挲着双手对他说，“我也养过猫，但我偏爱小狗。狗的名字叫马尔萨斯。当然，桃丽丝小的时候，我们偶尔会养小动物。她喜欢小动物，但我喜欢的是马尔萨斯。那时候桃丽丝已经完全长成大人了。我渐渐懂得观赏一只动物的感觉有多美好，远远好于扑向它，一刻不停地抱它，用你自己的天性掩盖它的天性。马尔萨斯很喜欢猫，它一看见猫就摇尾巴。我觉得有趣的是，一条大狗居然对和它那么不同的动物感兴趣。”

“就像比利和珍妮特。”奈德小声说。

“我想是的。”老人说。奈德知道老人并不明白他的话，但那有什么关系呢？最近这种情况经常发生，奈德得出结论，他和斯卡利先生在各自讲着各自的故事，就像两个人在走着各自不同的路，那两条路会不时地交叉一下。

斯卡利先生倒了杯茶水，再倒进几滴朗姆酒，然后若有所思地盯着下面的杯子看。奈德猜他在想念远离家乡的女儿桃丽丝呢。今天下午，奈德从他的邮筒给他拿来一张明信片，是桃丽丝寄来的。那是一张卡斯克德山脉的图片，同样的图片她已经给她父亲寄过三次了。

“我最好再去抱些木头进来。”奈德说。

“根据气流我就能感觉出来外面的风特别特别冷。”斯卡利先生略带悲伤地说，“好吧，奈德，拿些木头进来吧。”他闭上眼睛，向后靠在摇椅上。摇椅上有个棉垫子，已经褪色了，还是几年前斯卡利夫人做的。奈德知道是她做了这个椅垫，因为斯卡利先生告诉过他。那时他第一次提到他的夫人。除此之外，他唯一知道的就是桃丽丝很小的时候她就去世了。是爸爸告诉他的，他还说斯卡利夫人是个少言寡语的人。

院子看上去比大热天时的样子更糟糕。热天到处都是绿色，草丛遮盖着锈迹斑斑的工具，野生金银花一直长到棚子和外屋的顶上。

由于大暴雨，冰箱顶上的旧棉被还很潮湿。奈德摸了摸被里的那些包包块块，感觉像吃剩的燕麦粥。这时，他猛然听见急促的攀爬声，立刻就躲到了棚子里。从一堆引火柴的后头跑出一只猫，肚子低垂紧贴地面。奈德的心怦怦直跳。他跑出了棚子。那只猫由外屋下来回头往奈德站的地方看，它就是那只一只眼睛的猫。它摇了几下头，用鼻子闻了闻空气的味道，接着沿小山朝州际公路的方向跑去了。

奈德看见地上有个碗，碗里有半碗面包片。他进棚子之前那猫一定正在吃呢，是他进来把它吓了一跳。他赶快捡起一抱木头返回厨房。

“你一直在喂那只灰猫吗?”他问斯卡利先生。

“我想起来就喂。”斯卡利先生回答,“奈德,你看见我把眼镜和报纸忘在哪儿了吗?我一放下东西就……”

奈德看见报纸和眼镜都在桌子另一侧的椅子座上呢,是斯卡利先生早些时候随手丢在那儿的。他把它们放在了老人的腿上。

“那只猫常到你院子来吗?”

“对,来。原来它一直在冰箱顶上睡觉呢,不然我早就扔掉那个脏兮兮的旧被子了。上周六我离近看了看它,它看上去好点儿了,血渍全没了。不过我敢确定那个可怜的家伙聋了,我差点儿踩到它时,它才看见我,接着就跑掉了。现在它知道来这里找吃的了,这还叫人好受点儿。”

奈德哆嗦起来。

“再来点儿茶吗,奈德?你冻得直哆嗦呢。又是一个冬天啊。哦,天哪,过去我是多么喜欢寒冷啊,可现在我却怕它。在人的一生中,没什么是永久不变的。”

在上山回家的路上,奈德停下来仔细看了一下暴雨后形成的那些新坑。这些坑会让爸爸疯掉的。当他开车在这刚冲毁的车道上颠簸时,他又会大声地说:“我可能飞到古城耶利哥废墟了!”车道像个河床,到处都是漂亮的石头,是雨水涨满河床时冲刷出来的。他抬头看看他

家的房子,片刻之间,他感觉房子离他好近啊。他看见车还停在老地方。现在很难想象小山上到处是色彩鲜艳的绿草、阳光和野花时的样子,很难想象紧挨门廊那大片丁香树丛紫花成片的样子,也很难想象夏天的河流与现在山中蜿蜒流淌的黑水是多么的不同!现在,除了星星点点的常绿树外,到处都是光秃秃的景象。

他没有往阁楼上看。以前,他走上车道第一眼看的就是阁楼,想那些他还没有彻底看过的所有箱子、盒子,还没有打开过的那些书和杂志。他喜欢阁楼没完工的样子,那时,他不得不加小心别踩到那些还松动的木板,他还能看见最初的车床和造房子的灰泥。他以前喜欢那些灰头土脸的小窗户,喜欢自己爬过的窄楼梯。可现在盒子里的枪在那里呢,他不愿意再想阁楼了。当一个人的脚上扎了刺,他就只能想到刺,而忘记身体除了扎刺的部位,其他部位都感觉良好。现在他对于阁楼的感觉就是这样,那支枪就像扎在他心头上的刺。

老人在喂那只猫呢,这让他松了一口气。然而他担心的是斯卡利先生的记忆力。他从没想过猫吃什么食物,也许如果它太饿了,什么都吃吧。他决定吃饭时给猫留点儿剩饭放在斯卡利先生家院子里。他猜想,猫可能喜欢吃肉,而斯卡利先生很难有肉吃。他主要吃苹果酱、蔬菜汤和燕麦粥,还有两个星期做一回的咖啡色面包,以及尝起来有股干草味的圆形烤面包。这些食物他嚼起来越来越困难了,他跟奈德说过。现在记忆又出了问题——上次烤面包和面时,他忘了往生面团里放发酵粉,结果只好扔掉了。

在奈德开始帮斯卡利先生干家务之前,他并没有意识到人会变老。他知道有老年人、年轻人,也有中年人。但是他没有想过人会像树那样老化,像马棚上面的苹果树那样变得粗糙干枯,爸爸说那树快要死了没法再修剪了。

虽然那猫让他牵肠挂肚,他却发现自己常常想起斯卡利先生,特别是在夜里,每当他感觉自己家里的生活像一条温暖的毛毯包裹着他的时候,他都会想起斯卡利先生。比如妈妈坐在她的轮椅里看书,爸爸在书房准备演讲词,甚至斯卡罗普夫人在织她的一块儿地毯时,他都会想起戴维·斯卡利待在他那小黑屋里的情景。虽然桃丽丝已经给他屋里通了电,可他还用煤油灯照亮。

门廊上有一片松动的木瓦,在靠近木瓦的地上,奈德看见了一个浅棕色的大昆虫壳,可能是从木瓦上面掉下来的。当他把昆虫壳捡起来时,感觉它就像绵纸一样薄。他小心翼翼地把它拿在手里,心想他可以收集干虫了——它们要比外国邮票容易收集到。他走进家门,进了爸爸的书房。

“你好吗，小奈德？”爸爸问，他正坐在他书桌旁的雷明顿牌打字机前面。“今天在学校愉快吗？斯卡利先生怎么样啊？”

斯卡罗普夫人从书房门口悄悄溜过去，鼻子翘得老高，看起来像要昂首走过门廊、草地、修道院，垂直落入哈得孙河中。紧接着在回厨房的路上，她又路过书房门口一次。奈德知道，她在提醒自己她在厨房等他吃午后餐呢。午后餐，她是这样叫的。只要看她一眼他就知道，现在她又在犯专横跋扈、怒气冲冲的毛病了。对此他已经慢慢习惯了，再也不想弄明白是什么事让她那么生气。

“斯卡利先生说他现在记性出了问题。”奈德看着他手掌上的虫子告诉爸爸，“今天他收到一张桃丽丝寄来的明信片。她总给他寄同样的图片。”

他走到书桌边站着，手掌里还稳稳地托着那个虫子壳。爸爸正盯着打字机里的那张纸看，没有看他正拿着什么东西，而是用手搂住他的腰，抱了抱。

“人老了，又孤独，是很难过的。”爸爸说，“而且，当然了，他不信教。那就更糟了。教会只照顾自己的教徒。”

“那其他的人呢？”奈德问父亲，“像斯卡利先生。”

“别担心！”爸爸精神振奋地说，“我们会关注他的。我有个惊喜要告诉你。”他转身看着奈德。“那是什么东西?哦,一只蝗虫……这个惊喜是,希拉里舅舅已经写信来说圣诞节的计划了。他接到任务要写一系列关于美国历史名城的文章,你放假期间他想带你去查尔斯顿。我已经和你妈妈说过了,我们都认为这个想法很好。”

奈德高高举起了蝗虫,发现它几乎是透明的。

“奈德?”

“不错啊。”奈德淡淡地说。

“我很惊讶,听起来你一点儿热情都没有啊。”

“我可以去看看妈妈吗?”

爸爸转身面对打字机。“今天她很好,小奈德。”他说着便开始看紧挨打字机摞着的那些文件,好像并不强迫他。有时他高兴爸爸这样。

他轻轻走过大厅,希望在斯卡罗普夫人发现他之前能走上楼梯。但是,就在他刚刚把脚放到第一级台阶上时,斯卡罗普夫人就从楼梯下面的一个黑暗的角落里走了出来。她打开电话机旁边的郁金香花小灯,小灯那玫瑰红色的光线落在她长长的围裙和棕色鞋的裂口上。

“放学做完所有事以后,男孩子需要加餐。”她说。

他没办法,只好走进厨房。厨房桌上满满一盘子小甜饼和一杯牛奶正等着他呢。如果他吃完所有东西,斯卡罗普夫人的心情可能会改变。现在他知道了,她喜欢看人们吃她做的饭。奈德把蝗虫放在桌子上。他头脑里突然出现这样一个画面，斯卡罗普夫人把沃利斯全家人的胃口塞得满满的，满得他们都飘起来升到了空中，这时她把拴着他们的线拢在一起拉回到地面，像带着一束用人吹成的气球一样到处走。他想象的这一画面逗得他咧嘴笑了起来。他偷偷地瞄了一眼斯卡罗普夫人，她正在凝视着那只虫子呢。

“那不是一只蝗虫吗？”她说，然后小心翼翼地碰了它一下。

奈德正在以最快的速度吞下牛奶。

“我猜你知道蝗虫宝宝是怎样出生的吧？”斯卡罗普夫人用挑衅的声音问道。蝗虫宝宝！奈德闭紧嘴巴以免憋不住笑。

“它能杀死它的妈妈，你知道吗？”她继续说，“它们爬出来时妈妈就死了，蝗虫就是这样。当然了，生孩子总要让妈妈付出点代价的，就像你妈妈。”

奈德抬头往上看，惊呆了，张大的嘴巴里塞满了甜饼。

“哦，是的，亲爱的……”她小声说道，“就在你出生之后，你妈妈就得了那种可怕的风湿病倒下了！”

奈德吞下嘴里的东西，噎得一时说不出话来。过了一会儿，他大声说：“不是这样的！我记得她能到处走，到处跑呢，那也不是风湿病啊！”

斯卡罗普夫人露出洋洋得意的神情。“有些病需要一段时间才有症状的。”她说。突然，她打开长水池附近的地下室门摸黑下了楼梯。他拿起虫子壳放在他刚刚吃过的甜饼上，然后很快上楼进了妈妈的房间。

“看见你真高兴。”她说道，同时合上她一直在看的那本书。“天变得多黑呀，惊讶吧？现在还不到5点呢，可是已经像夜深人静了。”她伸出手，他弯腰向前把脸凑近妈妈的脸，这样她就能吻到他的脸颊了。然后他直起腰，一声不吭地站着。

“奈德，什么事？”她很严肃地看着他。

他试探着开口了：“斯卡罗普夫人说……”他刚说就犹豫起来了。此刻妈妈的关注像夏天正午的阳光向他袭来，而他希望自己能躲在阴凉里。“她说，”他不情愿地接着说道，“当蝗虫出生的时候，蝗虫妈妈就死了。她说因为我出生，你就得病了。”

妈妈看起来很痛苦。他想，要是自己没说那些话该多好啊，那他宁愿做任何事。他太想把那只灰猫的事和他在马棚里开枪的事告诉她了。可是那件事要让她知道了，她的反应又会是怎样的呢？

他知道，并不是因为他的出生使妈妈得了病——或许是斯卡罗普夫人的话搅得他心神不宁，仅此而已。他知道自己做错了那件事，现在他是拿错误的理由当遮羞

布，来掩盖这些天来让他闷闷不乐的真实原因呢。

“如果我相信巫婆的话……”妈妈摇摇头，开始说道，“不，她不是巫婆。她是个坏蛋，奈德。爸爸一直在找别人来代替她，但是没人愿意来，这儿离城里太远了，我也不怪他们。我常想最好的办法是我们搬到牧师住宅去住，或者搬到沃特维尔镇。可是你爸爸太喜欢这个老房子了。奈德，那不是真的，你相信吗？你的出生让我很健康。我以前身体很强壮，还常常背着你跑着上下楼梯呢。有一次，我和你一起爬上一棵树。我们俩坐在一棵大树枝上，像两只奇异的鸟。我还能翻过大山呢。很久很久之后我才生的病。人生总有意外啊。”

“反正我不会相信她的话。”奈德说。差一点儿他就了解到更大的真相了。

“爸爸一直在努力找人代替这位‘哼哈’夫人呢……”

奈德突然大声笑起来，妈妈也咧开嘴笑了。这时的她看起来和她的弟弟希拉里很像。

“当你和爸爸不在家时，她就来这儿，站在门口，和我说起来没完没了。我都没法摆脱。有趣的是——她知道我需要独自静养，而且要很长时间。不过，她还是教了我点儿东西。我过去常以为善良、仁慈的人都是一些能够理解别人的人。那种思想根本不对，斯卡罗普夫人懂得……我想，对她来说，每个人都是个谜，而她又能及时揭开谜底。"

"她知道你们正在找其他人来吗？"

"爸爸想先给她找到另外一种工作再说。我们不想直接把她辞掉不管。"

"那不会太自私吗，"奈德问道，"把她给别人？"

妈妈笑了。"不是那么回事。"她说，"我和你爸爸都知道，在某些情况下她会很好的。她需要的是一个自己说了算的小王国。"

"像红皇后一样。"奈德说。

"一点儿没错。"妈妈说，"现在我有个让人高兴的消息，希拉里舅舅给你写信了。"

奈德笑了。希拉里舅舅在写给妈妈的信里几乎总要放一封写给他的短信，那些短信就像小小的礼物一样。有一次，整封短信上写的都是关于一只公猫的事。这只猫是奈德的妈妈小时候养的，比她弟弟希拉里大几岁，她管它叫波尔丽姨妈。有很长时间，希拉里舅舅都以为那只猫真是他的姨妈。

妈妈举起那本她一直在看的书，递给他一张淡绿色的信纸。信上说：

我亲爱的外甥：

今天我要说的主题是友谊。

有一次爬一座阿尔卑斯山，我滑倒了，摔断了锁骨。两天后，我得了盲肠炎。从苏黎士医院（当时我住在苏黎士）回到自己的公寓之后，我的一个亲爱的老朋友驱车20英里来给我做午餐，煮两个土豆。把土豆煮好并不像你想象的那么简单，不能煮得湿乎乎的，必须又干又面才好吃。当我斜倚在床上，庆幸终于离开了医院时，我的朋友正用一把叉子在白色的瑞士大汤盘里给我捣土豆泥呢。他加点儿黄油丁，撒点儿盐和胡椒粉。那是我吃过的最美味的一顿饭了。我的朋友是个画家，他停下一上午的工作开车来到苏黎士给我做出院后的第一顿饭。那就是友谊。另一方面，别忘了你也会有那样的朋友，他们干脆什么都不为你做，也不为他人做。你喜欢他们就因为他们是那样的人。那就是他们给你的礼物。我希望我们查尔斯顿见。爱你的

信的落款签名是希拉里舅舅。还有一句附言：在瑞士开20英里的车可不是闹着玩儿的。

奈德把信递给妈妈看。她看的时候一直面带微笑，那是她对弟弟的特有的笑容。奈德希望自己也能有一个兄弟或者姐妹，他可以告诉这个人自己并不想和希拉里舅舅离家远游；告诉这个人关于那只灰猫的事以及斯卡

利先生健忘的事。

真正的严寒还没有开始，十二月份地面上可能已盖上了厚厚的大雪，那时该怎么办呢？那只猫会挨饿的。

奈德从来都很喜欢希拉里舅舅来看他们。那些来访让他们都很意外，感觉就像他们早上醒来发现地面上覆盖着白雪一样，那雪在他们睡觉时下了一整夜。现在他不愿意再想希拉里舅舅了，也不愿意再猜想雪地的样子。

如果他能让那只猫活下去的话，那么他违背爸爸的告诫，悄悄溜进阁楼拿枪的事就没那么严重了。可是如果那只猫不见了，奈德就不会知道它是死是活，那样他拿枪的事就是世界上最严重的事了。

“圣诞节我们会想你的，小奈德。”妈妈说，“但是想想你会很快乐，我就不介意想你的事了。”

奈德走过去站在窗户前，这样他就不必回答了。对于希拉里舅舅的邀请，他不知道该对妈妈说什么，就像不知道该对爸爸说什么一样。要先仔细想一想才能跟他们说话是件很难受的事，他想起了去年春天他忘记背诗的那一尴尬时刻。当老师把他叫到教室前面时，他什么都背不出来，但还得站在那里，他感觉自己脸色变得绯红。孩子们都咯咯地笑他；老师在等待着，先是很吃惊，然后是对他的无比失望。

“也许希拉里舅舅得回法国去，”他突然说，“圣诞节之前，我是说。”他又加了一句，并不看她。

“哦，你不必担心这个。”她说，“我相信除了他想去的地方，他不必去任何其他的地方。”

奈德感觉很难受。他想起了妈妈给他读过的一个童话故事，是关于两个孩子的，讲他们的眼睛里进了碎玻璃片，玻璃是怎样改变了他们看见的所有东西的影像的。他能看得出，她正在等他说什么。

“我得做十道长除法题呢。”他说着，快步走出妈妈的房间。又一个谎言！这个谎言还多了个数字做装饰！

那天晚上，他听见窗外的风在呼啸着。风把天空中的云吹走，露出晴空一片，星光点点。他不知道自己会不会整夜睡不着。他开始背起美国总统的名字。如果那还没法让他睡着的话，那他就干脆起来，下楼去，看遍书桌上的所有报纸。但是就在他刚低声说完“拉瑟福德·B.海斯：1877–1881”，就沉沉地睡着了。

当他醒来时，他想到的第一件事就是那只猫。他浑身颤抖着匆忙穿好衣服。这是一个寒冷的早晨，他真想再回到暖暖的床上去，钻进那温暖的被窝里，把头藏到枕头下面，睡上一整天。

“常想想你的幸福，忘掉你的烦恼。”当他坐下来吃燕麦粥时，斯卡罗普夫人用她那最高傲的声音命令道，

“今天早上你很幸运了。我没有像你对待我那样来对待你——把一个死虫子放在甜饼上。如果我把它放进你的燕麦粥里会怎样呢?”

他扔下勺子,跑出厨房,听见斯卡罗普夫人对着厨房桌子大声说,他是个牧师的儿子,难道他们不是最坏的吗?

爸爸大声和他告别,但奈德没有回应。他抓起外衣和书逃出了家门。

到了车道的另一头时,他停了下来,抬起头看着斯卡利先生的窗户。窗帘拉着呢。烟囱没有冒烟。他想屋子里面会多冷啊!他想象着那个瘦小的老人躺在薄薄的毯子下面的样子。他绕到房子后面,那里没有一丝动静。两只乌鸦飞过去,在早晨那苍白的天空形成一道黑色的线条。丝毫没有猫的踪影。

他沿着小路继续往学校走,希望能遇见珍妮特,或许他可以跟她说说正发生在他身上的怪事。他开始害怕动物了,甚至害怕那些他明明知道生活在世界其他地方的动物。

上个星期,当孩子们放学回家路过常绿树林的时候,有一条红毛狗从树林里冲出来,它边叫边像小马一样摇着头向奈德奔去。他吓得直接倒在泥地里,把脸藏了起来,直到比利来给他解了围。比利又叫又笑,拿开他

的手，让他看清楚那狗正躺在他身边添他的外衣袖子呢。

他也一直在浏览所有旧的《国家地理》杂志。他不直接进阁楼而是坐在顶级台阶上伸手够杂志，他害怕水蟒和印度豹的图片，甚至看见飞鼠和眼镜猴这类小动物的图片都会发抖。沿沃利斯家房子东边有一堵老石头墙，那里长着漆树，他也问过爸爸里面有没有毒蛇。

“在很高的山里呢。”爸爸心不在焉地说，“我相信它们不来这么低的地方。哦，也许偶尔会有铜头蝮蛇吧。”

偶尔有铜头蝮蛇！奈德惊恐万分。

他看见前面的珍妮特正跳下她家的小路，走到土路上了，便喊道：“停下来！等等我！”她停了下来，但并没有转过身来。

“听我说。”他追上她说，“你怎么看熊山？你想那里有熊吗？”

“它们有一直通到山顶的路。”珍妮特说，“人一到，动物就离开了。”

“好吧，它们离开。可它们去哪儿呢？”

“我从没想过。”珍妮特说。

“你害怕熊吗？”他吃力地问她。

“嗯，如果有只熊踩到我脚的话，我可能会害怕。但我不怕离我可能有好几百英里远的熊。”

奈德一直要告诉她，一想到熊他就害怕，但是此刻他闭口不言。他觉得某些事最好还是留在自己心里。

斯卡利先生站在抽水机边往厨房窗户外面看。那只灰猫正在棚子附近吃着碗里的食物。

“它胖点儿了。”斯卡利先生注意到。“我想它喜欢吃我给的食物。”

“晚上外面结冰时野猫去哪儿呢？”奈德问他。

“我想它们有许多地方可以睡觉，树干里的空洞、旧鸡笼或林子里的地洞都行。像那样的动物已经很聪明了，能照顾好自己。我想它们一刻都不能闲着，那样它们才能警惕，才能强壮。”斯卡利先生说。

“我想知道它是从哪儿来的。”奈德说。

“或许是野猫妈妈生的。不过它看起来不像野外出生的猫那么胆小。不，我想，或许是谁家的宠物猫生的，它跑掉了或者跑丢了，或者他们把它放到外面让它自己生活。人们会那么做的，你知道。”老人突然把身体往前靠。“奈德！看哪！它在玩儿呢！”

那只猫正在空中跳跃着追一片树叶，那片树叶正从枫树上面旋转着飘落下来。

“它感觉好些了。”斯卡利先生说。

奈德将身体探过灶台，把脸贴在窗户上。当他看着

那只灰猫又是转圈又是跳跃又是猛扑时，他感到心里轻松多了，心中充满了希望。接着他看见它左眼有半个空洞，另一半被眼睑遮住了。它还是不时地摇摇头，好像有什么东西爬进了它的耳朵里。

斯卡利先生已经回到桌子旁边。“它一直都在那条旧被子上面睡觉。”他说。现在那只猫正坐在那碗附近，清洗着它的小尾巴呢。奈德和斯卡利先生一起坐下来。“原来我还要把那床被子扔出去呢，”老人说，“但现在我要留着它。那猫太喜欢它了，可能它觉着那是它的家。当我站在窗边抽水泡茶的时候，很难弄清它是不是在那儿呢……灰猫，灰被，秋天灰色的早晨，加在一起就像一团灰雾。然后它抬起脑袋，挺直脖子，看着窗户……看我起没起床呢。它一点儿一点儿知道了我的习惯。动物了解你，奈德，和你了解它们一样多。

“接着它就伸伸懒腰，打着哈欠四周看看。打哈欠时，它嘴里露出一小块粉色，那是我最先看见的色彩。它跳下冰箱，弓着背，到处跑一会儿，有十来分钟见不着影。很快，我喝茶的时候，它又出现了，准备吃早饭了。我就往它碗里放点儿东西，从衣钩上摘下羊毛衫，走出后门，把碗放到它熟悉的地方，就是棚子边上。它不那么害怕了，能让我离近看看了，大约每天都能更近一点儿。

“我关上门回到窗户这里。它就抬头看窗户，用它那

只好眼睛找我，然后走到碗旁边吃它的早饭。我真爱看它清洗自己，它舔舔爪子，就在那只空眼窝那里舔。看起来它并不感觉疼。差不多洗完每个部位之后，它就大摇大摆地走开，去干它的事去了。”

斯卡利先生的声音太生动了，奈德都听呆了。他没想到，这个老人除了对过去和是否将收到桃丽丝的信感兴趣之外，还对很多事感兴趣呢。

“一个动物可以那么独来独往真是有趣，”斯卡利先生用一种沉思的口吻说，“而且还没问题。”

下午他们收拾纽扣盒，这些盒子原来是斯卡利先生母亲的。“想想这些东西有多长时间了吧，”他说道，依然带着描述猫时的活泼语气，就像那夕阳的余晖一样。“多奇怪啊，那双做这些纽扣的手早就从这世界上消失了。它们多好看啊！看，这是颗珍珠，这个是骨扣，这个是银的。扔掉它们太可惜了，里面包含多少人的心思啊。金博尔夫人能把它们很好地利用起来的。他们的扣子绝对不够用，我肯定。”

他捅了捅奈德的胳膊，放声咯咯大笑起来。“现在他们的扣子要比衣服多了。”他说，“当然，金博尔先生是个自立自强的人，从来不想为任何人干活儿，所以他们一直很困难。金博尔夫人过去是个护士，虽然没接受过正式训练，但我想她很有实际经验，你想想有这么多孩子啊……”

“伊芙琳很好。”奈德说。

“我分不出来他们谁是谁。”斯卡利先生说道，看上去有点儿怪怪的。“我妻子从来都不太关心他们。她是个很特别的人。”

“那是什么意思——如果说你特别？”奈德问。

“意思是说，你喜欢的东西不多。”斯卡利先生声音有些沙哑地说。

奈德想，他该走了。报纸已经卷好放在椅子上，地扫完了，柴火堆在火炉旁边，斯卡利先生伸手就够得着。他们俩今天已经清空了一个大盒子，剩下要整理的盒子不多了，但总还是有些事要做的。斯卡利先生跟他说过，住在老房子里要收拾的东西没完没了。

“我要走了。”他说。

“谢谢你，奈德。”斯卡利先生说，表情和善地看着他。

“下雪时，那只猫会去哪儿？”奈德问他。

“或者你可以把那冰箱再往棚子里面推一推，”斯卡利先生回答道，“那样风雪就碍不着它了，有点儿像做个过冬的巢穴一样。”他往窗外看。“如果我还在这里的话……”他咕哝着。

“你要去哪里？”奈德问。他的声音有点儿颤抖。

“我哪儿都没打算去。”斯卡利先生高声说，“可是这不由我呀。看见了吗？”他伸出那骨瘦如柴的手。“你看着……”他努力想把手指弯起来，攥成拳头，虽然动作很慢，可还是没有攥起来。“我不知道我还能坚持多久，奈德。”他说。

他的话让奈德感到很害怕，但是他却想不出任何话来回应。他小声说他得出去把冰箱再往棚子底下推一推，斯卡利先生茫然地对他点了点头。

当他走上回家的小山时，他想起了斯卡利先生那只攥不上拳头的手，还有他母亲那时常弯曲攥紧的手。他弯腰捡起几块石头，扔到车道两边的草地里，希望爸爸没看见自己正在做的事。想想那些手不能像自己的那样能伸得直直的，他已经够难过的了，可他还要担心后衣兜里那张成绩报告单。报告单上说奈德上课一直不专心听讲；他的分数不好不坏，没有不及格的。奈德知道，看到成绩单后，爸爸会很严肃，会用那种主持葬礼的语调和他说话，提醒他上学是他的工作，他必须努力做好。

傍晚的空气像石板一样又冷又硬，礼拜日教堂里也会很冷，主日学校的课将在锅炉房门口上。听完圣经故事，孩子们就会拿着钝钝的剪刀用橙色纸剪出火鸡的剪纸，并一点儿点儿啃着万圣节剩下的玉米糖。对于孩子们来说，除了圣诞节有红有绿之外，其他假日的色调都是橙色的。

对于沃利斯牧师来说，这是一年中最忙碌的时候了。他要主持一个特别的感恩节仪式，计划安排给山谷里的穷人送食品篮——他们有些人从来不上教堂，但还是要给。还有，十一月末，要举行一场露天演出，表演自从教会成立以来发生的那些历史事件。有一场是奈德扮演一个木匠的助手，在这一场里，第一个教会聚会所被夷为平地建成了现在的教堂。之后圣诞节就到了，教堂每天晚上都要点着灯，就像小村庄一样人来人往，委员会开会；孩子们的礼物被包裹在鲜艳的彩纸里；唱诗班练歌；整个教堂充满了巨大常青树那森林的气味，那棵圣诞树会站在画室下面的角落里。

女教徒们常常给沃利斯家准备大量的感恩节晚餐。奈德喜欢带着食物从泰勒村开车回家的感觉，车后座上的一篮篮食品，一到家就被搬进厨房全部打开，感觉有点像打开圣诞礼物一样。爸爸做完火鸡，就去把妈妈抱下楼，放在轮椅里。轮椅已经停在蒂芙尼玻璃灯罩下面的橡木圆桌旁边了。

奈德想，今年，斯卡罗普夫人将会在厨房里奔忙，像一块热煤一样满脸通红，做大个儿蛋糕和馅饼，捻土豆泥，往火鸡上涂油，同时会告诉每个路过的人她是个多么完美的厨师。

坏蛋知道自己是坏蛋吗？人在吹牛的时候知道自己在吹牛吗？奈德不知道。他走上门厅台阶，透过窗户看见爸爸正坐在书桌旁边。

“这是我的成绩报告单。”他走进书房对爸爸说。

爸爸微笑着，从他伸出来的手里拿起报告单，看了很久很久，奈德感觉好像有一天一夜那么长。

“奈德，我想你没有一直很用功地学习。”他终于严肃地说，“分数不是很重要。你应该做的是尽最大努力学习。小奈德，这不是你最好的表现，对吗？”

奈德摇摇头。爸爸摘掉钢笔帽在成绩单上签了字。两分钟之后这事就会过去，一周之后他就会把它忘掉。十年之后……

“奈德？”爸爸询问道，“你有什么事要说吗？”奈德没有回答。爸爸叹了口气。“我不太明白，如果我的孩子对自己的功课漠不关心的话，我怎么可能放他离家去和舅舅过一个辉煌的假期呢。”他眼睛往下看着自己的桌子说。

希望在他的心中燃起，但是他不能告诉爸爸。“下个月我会做得更好。”他说。但他心里想不知他能不能让分数降到更低，那样爸爸就不会让他和希拉里舅舅一起去查尔斯顿了。现在爸爸脸上又有了笑容。“有勇气。”他说。

奈德厌恶自己。坏蛋有可能不知道自己是坏蛋，但说谎的人一定知道自己说了谎。奈德就是后一种情况。

事实证明，斯卡罗普夫人并没有给沃利斯一家人做感恩节火鸡。她请了一天假，去哈得孙河沿岸康沃尔镇的表姐家过感恩节，那是她已故丈夫的表姐。斯卡利先生和金博尔家一起吃的火鸡，奈德和爸爸一起做的晚餐。女教徒们为他们准备了三张饼：碎肉馅饼、南瓜饼和白薯饼。当桌子摆好时，奈德感觉食物很多，好像都够金博尔家所有人吃一个星期的了。

妈妈穿着她那件丁香花般淡紫色的丝裙，一个手指上戴着一枚紫水晶戒指，她告诉过奈德那是她最喜欢的宝石了。她能够戴上戒指是因为今天她手指关节没怎么肿了。爸爸在做饭前祈祷时，还加了一句特别的感谢话，感谢妈妈能和他们一起坐在桌边吃饭。爸爸祈祷完，就抬头注视坐在桌子对面的妈妈，注视了很长时间。他的脸看上去和几年前一样年轻。那时睡觉前他常常和奈德一起玩一会儿藏猫猫，奈德发现他笑得比自己还起劲儿呢。

虽然外面除了黑黑的树干几乎什么色彩都没有，但桌子上却有烛光晚宴：鲜艳的食物，节日里专用的蓝白色盘子，灯罩反射的红光，加上灯罩上排列一圈的各种

动物。

突然奈德又莫名其妙地想起了那只猫，它的毛不光滑，一动不动的，俨然蒂芙尼灯罩上的动物，但还要脏一些，而且还带着伤。

妈妈说，她今天特别感激斯卡罗普夫人到别人家捣乱去了。爸爸笑了，但还是提醒她，斯卡罗普夫人也有她的优点。妈妈说他们真该考虑搬进牧师住宅了。奈德看见爸爸做了个鬼脸。

“那样生活起来要方便一些，吉姆。”妈妈继续说道，“如果你不太喜欢牧师住宅，我们可以考虑在沃特维尔镇找个房子。想想啊！不再有斯卡罗普夫人捣乱，不再担心屋顶漏雨，不用再花钱修车道，不用给树剪枝，不用花钱请农夫给地除草。我们会离教堂近好几英里，你就不必因为担心我而分心了。”

爸爸正在慢慢均匀地搅动着他的咖啡。奈德知道比起其他食物来，爸爸更喜欢咖啡。他准备演讲词时要喝好几杯呢。他抬眼看妈妈。

“我们这么喜欢这个地方。”爸爸轻声地说，“要是没有了你喜欢的大河风景，你怎么办呢？要是没有可以坐上去摇晃的枫树枝，没有可以到处跑的草地，没有可以爬上爬下的树，奈德怎么办呢？”

“我想那会卸掉你所有的负担啊，要是搬走了的话。"妈妈说。

"丁香花丛,"爸爸小声说,"我会想它的。想象一下,我的父亲沿哈得孙河逆流而上,看见这座小山时的心情,再想想让陌生人坐在这间屋子里我们的感觉……"

"是让人难过。"妈妈说,"但我们必须努力想一想。奈德,你觉得搬家怎么样?"

"你一出生就在这儿。"爸爸对他说。

"我知道。"奈德说,"还有,斯卡利先生怎么办呢?谁去给他拿信,或者砍木柴呢?"

他在心里问自己:谁来照顾那只猫呢?

"我们也不是马上就搬,要很长时间呢。"妈妈语速很快地说,"只是我们必须开始认真考虑这事了。一旦爸爸给斯卡罗普夫人找到工作……"

"——奈德,"爸爸插话道,"你为什么在盘子边上堆那些火鸡骨头啊?"

奈德刚开口说话,就感觉自己脸都红到脖子了。

"是吃剩的,"他有点结结巴巴地说,"是——"他停下不说了。或许有那么一瞬间,他几乎要把他心里的一切都告诉他们。在柠檬色灯光里,他们的脸色看上去那么温和,他们的目光那么爱怜地看着他。

"是给伊芙琳·金博尔家的狗斯波特的,他们把它拴在链子上。那狗看起来很瘦。金博尔家吃的东西不多,所

以它只能吃点儿剩渣。我想给它吃点儿好的……"

他闭上嘴巴不再说话了。他们微笑着看着他。他知道爸爸甚至还会因为他的施舍而表扬他。爸爸常常谈论施舍,好像施舍是他热爱的一个人。

他感觉心往下沉,那感觉就跟他不得不去牙医那里填牙洞时的感觉一样。

从阁楼上拿枪可能只用了三分钟时间。但自从拿到枪,他的麻烦就开始了。然而,现在枪看起来已经不那么重要了,问题是好像他自己已经搬走了,不是去了教堂旁边的牧师住宅,或者沃特维尔镇,而是去了个离家千里的地方。而且更关键的问题是,他有了一个奇怪的新生活,他的父母一点儿都不知道的那种生活,而他又必须继续对他们隐瞒下去。他对他们说的每一个谎言都使那个秘密越滚越大,那就意味着他要说更多的谎言来掩盖。他已经不知如何结束这一切了。

他从桌子旁匆忙站起来,收起一些餐具端到厨房。看见他们脸上对他表露出的自豪感,他心里既难过又羞愧。

第五章

生命的力量

奈德很喜欢雪。他喜欢走过雪地时发出的沙沙声，那种吹蜡烛的声音；喜欢从雪地进到家里那种温暖的感觉；喜欢站在大厅空调器边，那里能吹出杂着灰尘和金属味的热气；然后再回到外面，打着寒战弯下腰，用手铲起一把雪来团雪球，用湿湿的手套把它使劲儿往一起压，接着将雪团举起来，使劲儿扔出去，扔得越远越好；他喜欢顺斜坡往下滑雪橇时滑板下发出的吱嘎声，那亮光光、平滑坚硬的斜坡像优质的宝石一般。

在十二月的第一天，下了一场大雪。第二天早上，奈德从窗户往外看时，那条河像一条银蛇一样闪闪发亮，在雪山之中蜿蜒而行。

他心不在焉，草草地吃了点儿早饭，连谷物食品盒上的故事都没有看。斯卡罗普夫人今天早上也闷闷不乐，所以没有管他，只是扫了他一眼，就像看厨房里那些椅子一样。

在门廊上，他停下深吸了几口外面的空气，想象着空气中好像有股海洋的味道。然后当他费力地走进雪中，路过帕卡德车时，他看见车窗那里只是一片白色，都看不见车窗了。山楂树的树枝也沉沉地挂满了雪。他沿长长的小山往下走，因为车道已经埋在雪里了，他不知道自己是不是在车道附近走呢。当他终于走到斯卡利先生家时，他的橡胶套鞋上面全都是雪，脚也湿透了。斯卡利先生拉着窗帘，房子看起来也蜷缩着，好像冻得伸展不开似的。

奈德绕到房子后面，直到看见了那个棚子。雪地里有通向棚子和返回后门的鞋印。他猜想老人已经把猫食碗拿回去了，因为哪儿都看不见那只碗了。这种天气什么都不能放在外面，会冻成冰的。斯卡利先生告诉过他，对动物来说冬天里找水是个大问题。舔食冰雪来解渴会让它们生病的。

奈德使劲儿盯着棚子看，或许猫在里面，挤进那些圆木后面的空隙里了，因为那地方小，它可以用呼出的热气保暖。如果现在不马上去上学，他就要迟到了，但他还在不停地找。他找遍整个院子，好像恨不得能让猫从雪里或灰色的天空里冒出来似的。他的目光两次扫过那个冰箱，可到了第三次才看见冰箱上面那个鼓包，那不只是被子，还有猫呢，雪把它和冰箱盖在一起，形成了一

个鼓包。

奈德屏住呼吸待了一会儿，然后把脚放进斯卡利先生的脚印里，沿着他的脚印向棚子走去。脚印已经冻上了，在奈德身体的重压之下发出嘎吱嘎吱的响声，可是那只猫并没有抬起头来。奈德在离猫几步远的地方停下来——可是，哦，当然啦，他想起来了，猫听不见他走路的声音，因为它耳朵聋了。他本来可以走过去，离它比以往任何时候都近些的，但出乎意料的是，他看见那只猫突然紧张了起来，好像它还是听见了他走过来的声音。

当他走回房子前面的时候，看见路上有刚刚踩出来的新脚印。他能看出那是路，因为它的两边是斜坡，下面是一些深沟。他猜想那些脚印是比利踩出来的。想想就觉得奇怪，大呼小叫的比利想着自己那点儿事从斯卡利先生房前走过去了；而几乎同时，奈德，一直在只有几码远的地方找猫呢。他也发现了伊芙琳的脚印，接下来是珍妮特的，她的脚印最小了。他感觉有点儿害怕，好像自己被单独留在了一个白茫茫鸦雀无声的世界里。

在常绿树林里的某个地方，一定有雪从树枝上滑落下来，因为他听到了“扑通”一声巨响，然后是弱一点儿的响声，那是树枝卸掉重量后又反弹起来的声音。他想着那只猫，回想着它在被子上的样子。它怎么会一直都那么安静呢？为什么他没有走上近前去看一看，摸摸它的毛呢?为什么它那样一动不动,安静得像死了一样呢?去年夏天,他在井边草丛里看见的死野鼠就是那么安静得一动不动。他来到白雪覆盖的柏油路,路上有小汽车开过留下的车轱辘印。他有一种强烈的冲动想转身回去,平生第一次逃学。斯卡利先生视力不好,可能看不见冰箱上的猫,那他就不会给它放吃的了。他心情烦躁,浑身颤抖,两脚麻木,但还是继续向学校走去。

他很努力地集中精力听课,看着杰斐逊小姐写在黑板上的那些圆润连贯的字迹。她把托马斯·格雷的一首诗写在黑板上,那首诗是这个星期全班都要背下来的。但是尽管奈德很努力了,他脑子里还是总出现那只躺在破被子上一动不动的猫。上个星期,一个雨天的下午,那只猫看见了奈德,就立起了脑袋,好像要把他看得更清楚一点儿。它那只眯起的眼睛让他联想到了一颗麦粒。

“晚钟声声响,夕阳已离去,

牛群哞哞叫,迂回过草地……”

奈德读了好几遍才把它们抄在笔记本上。这些诗句对他没有任何意义。从去年秋天他和斯卡利先生看见了那只猫开始,他在学校的时间就这么难熬。那只猫转移了他所有的注意力,使他无法关注发生在自己周围的所

有事情，他会因为看见了猫在那里而心情放松，或者因为不知道猫身处何处而担惊受怕。

在下午回家的路上，奈德和比利打了一架。

珍妮特一转上她家的小路，就让一个埋在雪里的树根绊倒了。她是向前摔倒的，书掉了一地。奈德帮她捡起书，弹掉沾到上面的雪，等她站起来时把书递给了她。

“真能装啊！”比利大声说，“妈妈的乖儿子哟！”

奈德感到一种无比强烈的冲动，他压抑不住地把胳膊像根铅链一样挥动起来，怀着一种胜利的喜悦一下子把比利打进了雪里。珍妮特惊得张大了嘴巴。

那是傍晚时分，地都冻了，雪很硬。他和比利在地上到处翻滚，互相抓挠着对方的脸和耳朵。

“停下！”伊芙琳大声喊。

“哎呀，你们这些男孩子！我讨厌男孩子！”珍妮特大声喊叫起来。

奈德和比利都站了起来。比利的线帽子还戴在头上。奈德发现自己很讨厌那个帽子——它高高地站在比利那又大又圆的脑袋上，看起来真傻。突然间比利伸出舌头，奈德爆笑起来，比利也立刻大笑起来。伊芙琳厌恶地看了他们一眼，继续吃力地往前走。但是珍妮特却停了下来，一脸茫然地问比利是不是很喜欢让人打倒啊。比利只是对她咧嘴笑了笑，并不言语。

很长时间了，奈德第一次感受到刚才的表现才像自己，或者说才像他认识的自己。他和比利像伙伴一样又一起走起来，一直走到斯卡利先生家。他们边走边聊，聊到曲棍球，聊到学校附近的水塘一定冻得有多结实，还聊到今年大孩子们该会允许他们在赛场周边滑冰了。奈德想起那些男孩子们滑冰的情形，想起他们怎样把曲棍拿在身体的斜下方，想起他们的比赛鞋怎样从破碎的乳浊冰上一闪而过，想起他们怎样对他和比利大声喊，叫他们闪开路，想起他们看上去有多么像勇士。

比利继续往家走。奈德下山到州际公路旁斯卡利先生的邮筒，下山的一多半路他都是滑着走的。今天没有报纸，他猜一定是雪太大，送报员没办法送了。但有一张手写的便条，上面写着沿州际公路的新车库很快就要完工了。斯卡利先生的那辆福特小汽车几乎被埋在雪里了。奈德猜想，爸爸会给斯卡利先生买些杂货的。过去每当天气不好，或者斯卡利先生害怕他那辆小车会陷进某个沟里出不来的时候，都是爸爸帮他买东西。

脸颊冻得冰凉，他就举起手用手套捂着。他爬上小山，朝斯卡利家走，边走边想，喝杯热茶该多好啊。他抓住外屋的木瓦走过了一片结冰的地面，往棚子下面的冰箱上看，那只猫还躺在被子上面，就像早上他见到的情形一样。他呻吟了一声，声音很大。他向房子里看，斯卡

利先生正从厨房窗户往外看那只猫呢。

地面很滑，奈德蹒跚着跑到了后门。斯卡利先生不知花了多少时间才打开了后门。

“它死了吗？那只猫死了吗？”奈德大声问道。

“进来。进里边，快点！别让冷空气进来。”

奈德靠在餐桌上。雪从他那橡胶鞋套上化下来，在地面上形成了一个小水涡。他的眼睛一直没离开斯卡利先生的脸。

“把你身上的湿衣服脱掉，奈德。”老人平静地说，“没有，至少，现在它还没死呢。昨天就在你回家以后，我看见它爬到那个被子上了。它躺下了，看起来没什么事。可当我把它晚上吃的东西给它放到外面的时候，它并不像往常那样关注。天开始下雪了，我不知道该怎么办，我不敢冒险把它抓进棚子的最里面，野生动物会伤人的。我还想，如果那样做的话或许会吓着它——它的胆子很小。我一直看着它。雪越来越深了，可它还是没动。最后我上床睡觉了。奈德，跟你说，我一点儿都没睡好。老年人不像年轻人那么能睡，年纪大了，很容易醒。也许是雪停了我就醒了吧。我拿着蜡烛下楼来，把它放在这张桌子上。我想喝杯茶。脱下你的外衣，奈德，搭在靠炉子的那把椅子上。年纪大了，少有的好处之一就是在小事上你可以由着自己性子来。我年轻的时候，是从不会想到要在大半夜里喝茶的。谁听说过这种事啊?”

奈德不能摇头,不能微笑,也不能说一句话。

“别紧张了,”斯卡利先生说,“那猫病了。我不正跟你解释呢嘛。不管怎么说,我还是不住地往院子里看,你知道,我刚好能看见它,因为天空完全没有雪了。于是我穿上外衣和鞋,走出去到冰箱跟前,紧挨着它站着。开始我以为它死了呢,它是爬到冰箱上死的。过了一会儿,我听见它喘气了,就一点儿点儿气息进出的声音。实际上,我都把手放到它的脖子上了,它才发出了一点儿声音。可怜的家伙,那不是猫的呼噜声,那声音像是用一片玻璃刮石头发出来的。我猜它喉咙也疼。我把那碗食物放在被子上,就在它的旁边。它的头只抬起一点儿点儿,瞄了一眼食物,就又落下去了。它不想吃,所以我就把碗拿回来了,要不该冻了。从那之后,我给它拿过好几回吃的。现在它甚至连看都懒得看一眼了。”

“它是因为眼睛的伤才要死的吗?”奈德声音哽咽着问。

“我想不是。人们常把鼠药放在他们的谷仓里灭老鼠。它可能吃到鼠药了。什么事都有可能发生。你手里的那个是信吗?”

奈德把关于新车库的那张便条递给他。“哼!”老人的声音很大,把那张条用手团了团扔进炉子里。奈德又

穿上外衣走出厨房。斯卡利先生没有阻止他，什么都没说。

待在屋里的时候，他感觉已经不是白天了，现在就像午夜一样寂静。他过去因为喉咙疼半夜醒来过，也因为吃了太多甜食肚子疼半夜醒来过，那些时候他都感受过这种寂静。

他走到冰箱跟前，去的路上还在雪地上重重地摔了一跤。那只猫没有动。奈德又靠近了一些。他紧紧抓住冰箱，向上看着那只猫，并伸出一只手来摸它的后背。他手离得越近越能感到它还活着，尽管只是奄奄一息。有气息了，他的手指好像感觉出它的气息来了。

“你能断定它还活着，对吗？”奈德回到厨房时，斯卡利先生问他，“有点儿奇怪，不过还是能感觉出来的。”

“它要冻死了。”奈德说。

“现在还不能那么肯定。如果温度不再下降太多的话，它能撑下去的。我想让它进来，可它不会进来的。我把门给它打开过，可它跑掉了。”

斯卡利先生很勇敢，奈德心想，敢让猫进自己的家门。

“哦，是的，”老人说，好像奈德真表扬他的勇敢了。“我确实试过了——因为想到难熬的天气来了，它身体又不好不能捕食。但是那时它看起来正变得强壮起来。

自从我们看见它玩耍，我相信它真有可能活过冬天了。这是你的茶，咱们坐在炉子边吧。好吧，如果你能帮我把最后一个盒子从阁楼里拿下来的话，我会很感激的。我知道在那里呢，因为客厅里没有。一旦我们把那个盒子也整理完了，那么这地方的一切就都井井有条了。我会尽最大能力把这里安排得井然有序。”

奈德喝完了茶。热茶让他暖和起来了，他感到舒服多了，有一会儿工夫他不再想被子上的那个鼓包了。他从一个小梯子爬上去，到了进阁楼的洞口，从洞口处他看到了里面的最后一件东西。那不是一个盒子，而是一个皮包，上面捆着一个带子，皮子几乎烂掉了。黑漆漆的阁楼里没剩什么东西了，只有蜘蛛网和钉子露在外面的厚木板。木板年头很长了，铁钉也已经生了锈。

他把那包拿到餐桌上，斯卡利先生小心翼翼地解开了带子扣。

“看这个……”他惊讶地说道。包里装满了孩子的衣服。一个弯把黑勺落在了桌子上。老人用指头擦了擦，黑色褪掉了。“银的，”他轻声说，“桃丽丝用来吃谷类食品的东西……”有用纽扣装饰的鞋子，那鞋以前是白色的，现在已变成了乳白色。斯卡利先生手举一条有小树枝图案的薄棉裙，用钩针钩织的裙子领正抓在他手里。“我们住在波基普西市时，她就穿着它去参加了一个生日聚会。我的，我的……想想她，现在远在那黄金西部呢。”他看奈德看了有一分钟，然后摇摇头，好像在否定什么事。“我必须把所有这一切都扔掉，已经没有用了。”

奈德刷完他们的杯子，摞起来，放在炉子附近的几根木头上，然后他穿上外衣。斯卡利先生说，“奈德，等一下……”奈德在门口停下来。斯卡利先生看着他说：“你上阁楼的时候，我看了看那猫，我很确定它抬头了。”

当奈德走回家时，黑暗已经降临了。他又冷又累，同时对那只病猫命运的恐惧也使他疲惫不堪。接着他看见从自家窗户透出的明亮灯光。他想到了父母的声音，和那好像缭绕在所有房间和厅堂的回声。甚至在他们不说话的时候，比如爸爸在书房里工作，妈妈坐在轮椅里看书，他都感觉得到。

他看了一眼客厅里面的凸窗，看见了他祖母挑选的褪色柳墙纸，青铜狮子后背的顶部，爸爸读报纸用的那盏灯的羊皮纸灯罩。房间里没有人。有一会儿工夫，他甚至有一种感觉，他从早上离开家去上学到现在已经过去好几年了。他快步跑上前，上了门廊的台阶，用扳手打开门，跑进大厅。

爸爸的外衣挂在衣架上，衣服边搭在那两把伞的伞柄上，那两把伞没人用过。大厅里有张桌子，爸爸常往上面放他那个旧皮包，有时也放他在沃特维尔镇买的一盒

巧克力。在桌子上，他看见一个信封，收信人的位置上写着他的名字。那是舅舅希拉里直接寄给他的第一封信。他打开信读了起来：

亲爱的奈德：

在我们去南方的路上，我们可以中途停一下，去参观我最近刚刚了解到的一个小岛，那里有生活在森林里的小野马。大概，有一艘渡船给那个小岛送信和生活用品，所以我们只要能搭上那艘船就行。一定要包好书。我一做好所有安排就从纽约给你打电话。我只是遗憾你只有十天的假期而不是一年。当然啦，人只有在五岁之前才有一年的假期。

奈德惊讶了，意识到圣诞节只差几个星期就到了，他竟还穿着外衣站在那里，不知道究竟能用什么理由推掉这次假期旅行呢。他现在很害怕这次旅行，几乎和让他单独与斯卡罗普夫人一起度假一样让他害怕。这时，斯卡罗普夫人出现了，她的手指放在嘴唇上，向他走来。因为除了跟她打个招呼他几乎什么都不说，所以他不明白为什么她在警告他要安静。

“你必须要很安静。”她重重地低声说道，“你妈妈病得很重。”

奈德脱掉外衣,猛地扔到衣架上,开始上楼梯。

当他把脚放到第一级台阶上时,他就听见了几乎是从上面飘下来的颤抖的哭泣声。他停了下来,很害怕。他迟疑地转头看着斯卡罗普夫人,她点点头,好像对他的表现很满意。

接着他一次迈两级台阶,上得很快,因为他根本就不想上去。他又听见一声更虚弱的哭泣声。他到达楼梯顶时,看见爸爸的手撑在妈妈的床上。爸爸抬眼看见了他,又看一眼床,然后快速走出房间,来到奈德跟前。

"她在受罪呢。"爸爸低声说,"现在疼得不那么厉害了,但她很虚弱。你最好现在别进去,小奈德。你去吃饭吧,我要陪她坐一会儿,等她睡着。"

奈德在餐桌边吃饭,斯卡罗普夫人密切看管着他,每次他用叉子捡起一粒豌豆,她的嘴唇就微微动一下。她做了巧克力布丁,那几乎是他最爱吃的甜食了。他对此并不高兴,他的心思要么在母亲的身上,要么在猫的身上。斯卡罗普夫人注意到他没在吃,就说:"斯卡罗普夫人做的巧克力布丁是有名的,而小奈德对这样美味的布丁并不感兴趣,只是用勺子乱动它呢!"

"我吃不吃关你什么事?"他突然对她大声喊道。

以前他从没跟任何大人顶过嘴,他对自己居然这么做感到很惊讶。斯卡罗普夫人盯着他,她薄薄的下嘴唇像小孩子一样撅起来。“你怎么能对我大声喊叫呢?”她小声问道,好像她的喉咙缩成了针鼻儿那么大。让奈德惊讶的是,一大滴眼泪出现在她右眼的下眼皮上。

一滴眼泪,他暗自观察到,尽管他对自己的做法觉得很尴尬——可是,人怎么会用一只眼睛哭,还哭出一滴眼泪呢?

他匆忙站起身,撞倒了椅子。他扶起椅子,咕哝出一句道歉的话。她没有动,那滴眼泪顺着她那大大的脸颊慢慢流下来。他说,他得马上上楼写作业,今天晚上他不饿,但他还是感谢她做的布丁。他抓着椅子背,抓得很重,以至于都能听见木头吱吱的响声。

“哦,我真的关心你吃什么。”斯卡罗普夫人用孩子似的声音说道。

“嗯,我知道你关心我。”奈德说,意识到他说话的口气听起来像爸爸。他弯了弯腰,笨手笨脚地走出了厨房。

在楼梯的最顶上,他看见妈妈的房间里已经点起了一盏小灯,就放在窗户附近。爸爸在床边的一把椅子上睡着了。奈德靠在门口,看见了妈妈,她脸色苍白地靠在枕头上,眼睛睁得很大。她轻轻转过头来,看着他。她把手指放在嘴唇上,就像斯卡罗普夫人那样,然后指了指爸爸。她表情虚弱地对他笑了笑,奈德也努力对她报以微笑。

他回到自己的房间里。今天过的是什么日子呀！最好的一段就算是打架了，然后是和好，和那个比利。当他关上门，打开灯，看见书架上的那些书，心情才稍稍好转了些。他坐在小编织椅上，那是几年前希拉里舅舅从菲律宾群岛给他带回来的，现在他都快坐不进去了。有很长时间，他都坐在椅子里，看着河岸那边闪烁的灯光，庆幸自己远离成人的痛苦和疯狂。

后来，当他爬到毯子下面时，发现自己睡不着了。有一会儿，他很想像以前那样再来一次深夜散步，满屋溜达一番，可他突然想起了客厅给他的那种感觉，那是一种相当奇怪的空虚感，是他从斯卡利先生那里回来通过窗户往里看时感觉到的。那不是屋子没人的感觉，而好像是整个房子都空了一样。

严寒持续了好几天，所以奈德和斯卡利先生花了很多时间在厨房里观察那只猫。它还是偶尔抬一下头，每次它一抬头，奈德和老人都会惊呼一下，其中一个就会说一遍“它还活着”。他们轮流往外拿猫食碗。有一次，奈德把碗正好推到猫的脸前，它叫了一声。“叫声像生锈的钥匙在锁眼儿里拧时发出的声音一样。”他向斯卡利先生汇报说。

“它不想让人打扰。”斯卡利先生肯定地说，“我们现

在一定不要再打扰它了，奈德，别管它了。”

“我们不能带它去看病吗？”

“我想医生接近不了它的。别看它身体虚弱，今天下午你来之前我碰它脑袋一下，它还冲我咝咝叫呢，还张大了嘴巴。我告诉你，奈德，它是一只野猫。我们只能等待，要耐心地观察。再说，我也没钱付医疗费啊。”

第二天，斯卡利先生和奈德都断定猫死了。下午下了一阵小雪，猫身上盖了一层雪。斯卡利先生已经感觉不到它的一点儿呼吸了。

“离开那窗户吧，奈德，你会把玻璃弄出一个洞来的。如果猫死了，我明天就把它扔了。我在担心一些事，想和你说一说呢。”

奈德很不情愿地慢慢离开了窗户，在餐桌旁边的斯卡利先生对面坐下。

“是那炉子的烟囱。”老人说。他的音量提高了，他的皮肤斑驳发青。奈德知道他很激动。

“有很多事情需要做。”斯卡利先生继续说，语速很快。“那个烟囱不得不清理了，要不然，我很可能把房子烧成平地了。我给桃丽丝写了封信，如果你把信给尊敬的牧师请他寄出去的话，我会很感激的。我会给你两分钱买邮票。冬天太难熬了！气温只降低了几度，可你看都发生了什么事啊！”

老人的声音，他那愤怒的语调，都显示出他已经厌倦那只猫了。奈德的心沉了下去，好像那只猫有二百磅重，而现在他只能一个人扛了。

奈德把给桃丽丝的信和买邮票的两分钱都带回家交给了爸爸。走到楼上时，他看见妈妈穿好衣服坐在轮椅里呢。这是他和比利打架那天，也是她犯病那天以来的第一次。她看起来脸色苍白。可一看见他，她便露出笑容，让他进来。她一只手握着她最喜欢的瓷杯，杯子很薄，上面画着玫瑰花蕾和玫瑰花叶。

他走到她跟前，她放下杯子把手放在他的手上。她的手指关节已经不那么肿胀了，他知道她就想让他看到这一点。

“奇怪，”她说，“是什么让它时好时坏的，好像没人知道。就像小船通过珊瑚暗礁航行一样，你从来都不知道会撞上什么东西，什么时候能撞上。我累了，就这样。我都想我可以走路了，已经很久没尝试了。我的腿没劲儿，不过我想可以试试。”

她的腿上盖着毯子，她慢慢地从毯子下面伸出一只脚来。

“希拉里舅舅从中国给你带来的那些拖鞋。”奈德说。

“他把世界都带给我了，对吗？就要和他一起去旅行

了,你高兴吗?”

对她说谎是很难受的。他没有回答她的问题,却说他得跑回斯卡利先生家,他忘了再给他抱进一抱柴火烧炉子了,天太冷了,斯卡利先生会需要柴火的。

他跑下楼,穿上外衣,走到外面,颤抖着站在房子北面的山楂树下。当他抬眼看楼梯平台上那褪了色的窗户时,他感到有生以来从没这么难受过。透过厨房窗户,他看见斯卡罗普夫人站在水池边,看起来像在唱歌呢。突然她伸出双臂好像在指挥一个乐队,一只手里抓着土豆,另一只手里抓着胡萝卜。虽然现在他感觉非常难过,可他发现自己还是笑出了声。在这以前,他还从不相信斯卡罗普夫人能让他的感觉好点儿呢——但是现在她确实让他感觉好些了。

第二天是星期六,他很早就起床了,没吃早饭就直奔斯卡利先生家。

天气已经好转了。天空晴朗,在冬日淡黄色阳光的照耀下,草地上发出冰雪融化的沙沙声。奈德顺着斜坡往下走。

奈德跺掉鞋子上的雪,进了厨房。斯卡利先生正往窗外看呢。他转向奈德,乐得张大了嘴巴,露出了颗颗牙齿。

“它根本就没死!”他大声对奈德喊道,尽管他离奈

德只有一两英尺远。“那个老伙计走了!看那里。在那边松树枝的下面,我看见了它的爪子印。明白吗?不管它吃了什么——毒药、细菌,它还是挺过来了!现在它已经离开去做它的事了。它坚持住了,我都放弃了——可它蒙了我!很奇妙吧,那样被蒙一下?”

奈德都不知所措了。幸福来得太突然,好像谁突然在他后背上狠狠地打了一下;幸福闻起来好像斯卡利先生给自己新煮的咖啡和烧木柴的混合味;幸福是横照在餐桌上的阳光那黄油一样的颜色,而且还有那脏被子的颜色——那已不再是濒死动物的灵床。

他听见帕卡德车开过去的声音,他希望他正和爸爸一起坐在里面呢,毕竟,如果今天他事先知道猫的这一情况,他就能和爸爸一起去教堂了。爸爸会和执事们见面谈论圣诞节的计划,妇助会会在地下室里把酸果和爆米花穿成串儿挂在圣诞树上,还有给集会孩子们的糖煮苹果和包装礼品。甚至今天高大的教堂门也会打开,很多人会一起抬进一棵巨大的圣诞树。有个人会上楼到画室里,把那颗大星星放在适当的位置,接着树的其余部分都被装饰起来。到了平安夜,那树的奇特气味会充满整个教堂。那是松林深处的气味、雪的气味,也许还有弯糖棍那薄荷油的气味。可是他不会在那里了!他会和希拉里舅舅一起在去查尔斯顿的路上。

斯卡利先生说，他感觉很振奋，想点支烟抽，尽管现在烟丝可能干巴了，不值得抽了。他的烟袋在客厅里，当他去拿的时候，门开得很大，奈德闻到冷空气中有一股苹果的香味。斯卡利先生的客厅里存了几篮苹果，还有一袋土豆和一袋洋葱。斯卡利先生拿着他的海泡石烟斗返回厨房，烟袋锅上面雕刻着琥珀色的牧羊犬。在奈德看来，老人的身体很长时间都没现在这么硬朗了。他往烟袋锅里装烟丝，压烟丝，从窗台上的铁盒里拿火柴，把火点着，所有这些动作都做得很麻利。

“它会回来的，我会再喂它的。”斯卡利先生说，“现在它一定饿了，它一定想恢复体力。金博尔夫人昨天给我拿来一只鸡。我要给它些。你看着吧，我们很快就能让它到处跑了。”

“你也高兴?”奈德说。他很惊讶，原以为老人只是因为对他有耐心，才容忍他对猫的关心呢。现在他能感觉到斯卡利先生很有责任心——不仅如此，可以说很有同情心——对待动物。

“我高兴啊！”斯卡利先生用一种严肃的语调说，“当你到了我这个年纪，动物生命的力量会让你心情振奋的。”

奈德到家的时候，斯卡罗普夫人正在楼上呢，所以他能够自己弄点儿早餐，独自一人在厨房里吃完。他刷

完碗收好，然后上楼到妈妈的房间。

“我很高兴要和希拉里舅舅外出了。”他对她说道。

她大声笑起来，说：“哈哈，就是嘛！昨天你就该这么回答嘛，是不是啊？有时你会迟一些才回答问题啊。”

他不能告诉她从昨天以来发生的事，以及为什么他现在比以前感觉好多了。

“告诉你个事。今天早上你爸爸开车带斯卡罗普夫人去沃特维尔镇了，他已经给她找了份养老院的工作。你记得我们谈论过她需要一个属于她自己王国的事吗？她可能会得到一个王国了。爸爸带她去面试了，她戴着一顶像南瓜一样的帽子去的，没准儿就是为面试准备的呢。不管怎么说，我相信那会打动雇主的。”

“她不会再和我们待在一起了，爸爸是怎么告诉她的？”

她又笑了。“我们之前不得不全盘演练了一下，”她说，“当然啦，他不想说谎。不过他不得不把实际情况说得巧妙一点儿。他告诉她我们正在考虑搬到牧师住宅去住，我们真需要一个有实际经验的护士来看护我，直到我们搬走为止。我真高兴她要走了。”妈妈叹口气，并往窗外看去，说：“多好的天气呀！我喜欢冬天里的暖天气。哦，她很能干，我承认。但我确实相信她很不喜欢我，因为我不太欣赏她那感情容易激动的性格。事实上，我怀疑，她真正的性格，可能看起来就像她织的一块儿地毯一样。”

奈德感觉妈妈其实在说她自己呢。她仍然看着窗外，声音轻柔。

“嗯，那么真会有有实际经验的护士来咱家吗？”他问道。

现在她转过身，对他露出笑容，好像突然之间才看见他手扶轮椅站在那里一样。

“是的，是金博尔夫人。”

“伊芙琳的母亲？”

“没错，是的。最小的孩子，小帕特里克，现在喝牛奶，所以其他的孩子可以照看他。你爸爸几个星期前和她说过这事，这对我们所有人都是好事。”

“每件事都让人想不到啊！”奈德说。

“一直都是。”妈妈说。

第六章

圣诞节

奈德也听见了，爸爸告诉妈妈，斯卡罗普夫人在养老院已经填了表，她的面试相当成功，开办养老院的人很欣赏她知道怎样把剩饭做得好吃一点儿，也喜欢她说对老年人充满热情。她接手新工作之前还要和沃利斯一家人再待几天。

“又是那颗激动的心。”妈妈说，对奈德咧嘴笑笑。

“我希望你不是在取笑那个可怜的人吧。”爸爸说。

“希望的没道理吧，吉姆。”妈妈尖刻地说。

“我得承认，我并不介意她离开。”爸爸说。

斯卡罗普夫人比以前更高傲了，但她的高傲几乎没妨碍到奈德。他过去几个月来的混乱和恐惧已经沉入过去的岁月，以至于当他回想某件事时，比如像珍妮特的小猫咪出生，他会自言自语道：那是我担惊受怕时候的事了。

接下来，在一个寒冷的下午，也就几分钟的时间里，

一切都变了。

他和比利一起从学校走到斯卡利先生家。他们一直在闲聊关于圣诞节他们最喜欢的种种好事。比利很坚定地说最好的事是不用去上学了。

奈德跑到斯卡利先生的房后，在台阶上跺掉鞋上的雪，打开厨房门。里面十分寒冷，没有红线勾勒出炉门的轮廓，抽水机旁的灶台上放着几个脏碗，桌上有盒麦片，那个猫食碗里装满了玉米面包块和熏肉块，摇椅附近放着斯卡利先生的拖鞋。

奈德看见厨房窗户外面有模模糊糊的影子在动，那只猫正在雪地上往棚子那里走呢。它突然抬起一只爪子疯狂地舔了一会儿，好像脚的肉垫处沾了个硬雪块儿。奈德看得出它长大了点儿，尽管看上去还很瘦。奈德把猫食和一碟子水拿到外面棚子里，那只猫在几英尺远的地方戒备地看着他。奈德看出它对他的态度比以前有很大不同了，它虽然还很戒备，但对他的出现已不再惊讶了。

他愿意待在那里看猫吃食，可他知道如果他站得那么近的话，猫就不会靠近猫食碗了。他回到厨房，暂时忘掉了猫的事，而是试图弄清楚斯卡利先生在哪里呢。他或许顺便去拜访金博尔夫人了，尽管他常说他们家的狗叫声、孩子的抽鼻涕声和尖叫声让他感到紧张——婴儿

们都往他身上爬,好像他是落基山脉一样。

奈德看见朗姆酒已经洒出来了,弄得摇椅附近的地板上到处都是。他朝楼梯上看,不禁浑身颤抖起来。这颤抖很强烈,好像持续了很长时间,他不清楚是因为屋子里太冷还是别的什么原因。

他慢慢爬上楼梯。横趴在浴室门槛上的正是斯卡利先生!他脸朝下,两只胳膊伸在身前,双手紧紧握着。

奈德一路跑到金博尔家,把门敲得砰砰直响,最后是伊芙琳四岁的弟弟特伦斯打开了门。他身上穿着一件破了很多洞的灰色毛衣,一只脚上穿着卧室用的大拖鞋,一块儿湿透了的甜饼干攥在他那脏乎乎的小手里。奈德越过他往厨房里看,在厨房炉子旁边坐着一个小女人,黑白头发盘成了一个圆球固定在头顶上,一个婴儿正骑在她的膝盖上。

"小奈德·沃利斯,"她大声说,"看见你真高兴。特伦斯,去阁楼上叫伊芙琳。瞧这儿,奈德,我刚做了些土耳其软糖。随便坐,我给你拿些来吃。"厨房里有好几只猫在到处巡视,当奈德喘着粗气开始说话的时候,其中的一只猫吼叫一声跳到另一只猫的身上。那婴儿被逗得咯咯大笑。伊芙琳出来了,抓住他喊道:"你好,奈德。"

"金博尔夫人,"奈德用最大音量说,"斯卡利先生躺在他家浴室地上一动不动了。"

“看着帕特里克。”金博尔夫人告诉伊芙琳。

“我想他死了！”奈德说完便放声大哭起来。

金博尔夫人随便穿上一件重重的男士格子花呢外衣，光脚穿上一双黑色橡胶鞋。那些猫全跑进另一间屋子了。特伦斯在桌子底下爬；帕特里克在大声笑，好像他刚听到世上最可乐的笑话一样，他的两只小手抓住了伊芙琳蓬乱的头发。

奈德跟在金博尔夫人后面跑到斯卡利家。她跳进厨房，上了楼梯。等奈德追上她时，她正坐在地上，把斯卡利斯先生翻过来躺着，好像他像豌豆荚那么轻。老人的嘴上有一道灰白色的泡沫，已经干了。奈德感觉他的心往下沉。金博尔夫人正用两个手指握着斯卡利先生的手腕。

“他没死，”她平静地说道，“可能中风了。我们没有电话，奈德。你能去你家给沃特维尔医院打个电话，让他们派一辆救护车来吗？现在就去，小奈德。你去打电话的时候，我会尽最大努力让他舒适一些的。”她从浴室门的一个钉子上摘下斯卡利先生的法兰绒长袍，把它卷起来，轻轻地推到他的头下。“快点儿，小奈德。”她催促道。

他头一次这么快地往山上跑，他边大口喘气边这么想。在大厅里，他碰见了刚刚走出书房的爸爸。

“爸爸，斯卡利先生中风了。”他说，“金博尔夫人在

那儿呢，她让给医院打电话。”

沃利斯牧师打完电话告诉奈德，他要去斯卡利先生家，看看能帮上什么忙。奈德见斯卡利先生躺在地上时产生的那种心往下沉的感觉已经过去了，他也想去，可是爸爸说，他一天做的事已经够多了。

当爸爸沿斜坡往下走时，奈德一直看着他那高大挺直的身影。有一阵子，斯卡利先生那边没什么动静，接着有辆救护车颠簸着开上来了，有两个人抬出了一副担架，很快他们抬着盖着鲜红毯子的斯卡利先生返回去了。当金博尔夫人过路回家的时候，奈德看见她了。救护车离开后，爸爸独自一人站在那所小房子那儿看了一会儿。对奈德来说，所有这一切就像看哑剧表演一样，只看见动作，听不见声音。

他希望那只猫不会被来来往往的人吓跑，而永远不敢再回来；他也希望斯卡利先生平平安安的。可这两个希望看起来好像分不开，好像斯卡利先生和猫是一个庞大而复杂的难题。就在他看见爸爸开始上坡时，他听见斯卡罗普夫人从后楼梯重重下楼的声音。

“你怎么啦，小奈德，我亲爱的孩子。”她说，“你的脸通红，膝盖颤抖。”

他张开嘴没等说话，她立刻说：“镇定下来，镇定下来。”他讨厌她那种说话方式，是那种假意的安慰，好像

她拥有了一个安静的王国，而他傻乎乎地绊倒摔过了她那王国的国界。他等了一会儿没说话，但那并没有烦到她——她正对他微笑着，好像她完全知道他的心思一样。

“斯卡利先生病了。”他终于说，并抬腿走出厨房，心想很高兴她就要走了。

“这些我都知道，”她尖刻地说，“我当然知道！你以为你爸爸会告诉我那么重要的事吗？总之我听见他打电话了。我有过和独居老人打交道的经验——那些老人被忘恩负义的子女抛弃了。”

奈德走进大厅，边走心里边想，如果斯卡罗普夫人说忘恩负义指的是桃丽丝的话，他忍不住要为桃丽丝感到遗憾了。

妈妈在焦急地向门口张望着，好像正在等他呢。

“我为斯卡利先生感到很难过。”她说，“我想你很喜欢他，是吗？”

“我以为他死了。”奈德说，“他看起来就像死了一样。”

她专注地看着他，说：“是你发现的吗？我以为是金博尔夫人呢。”

“是我发现的。我去看——”他停下不说了。他差点儿就说出他是去看那只猫的情况怎么样了。然后他又开

始说道:“我去看它,看看是不是一切正常。”他感觉有种奇怪的兴奋感,他说了“它”(指代“猫”),听起来和“他”(指代“斯卡利先生”)的字音相同,这样他母亲就猜不出来他到底在干什么了。

“你一定吓坏了吧,”她说,“看见你认识的人变成了那个样子,一动不动地躺在地板上。哦,我知道你一定吓得要命!”

“我确实吓坏了。”奈德承认。

“你可能救了他的命呢。”妈妈说道。

谁的命啊?奈德心里纳闷儿。

“得了中风病,医生来得越快越容易得救。”

他突然希望能够回到自己屋里,锁上门,一个人静静地待会儿,不和任何人说话,哪怕是自己的妈妈。他的心里乱极了,很痛苦,一分钟之前的那种兴奋感已经消失了。他盼望有人能够让他说出猫的事,或许魔术师会魔法般的让他说出真相。

他母亲还在关切地注视着他。

“得了中风病人会死吗?”他闷闷地问道。

“会。”她说,“过去人们可能管这种病叫大脑出血。大脑需要的血液被什么东西堵住,到不了脑细胞了。人的语言能力可能受到影响,身体两边的活动也会受到影响,不是左边就是右边。斯卡利先生年龄大了,即使他能

康复,也不会和原来一样了。”

“他不会再回家了吗?”奈德问。

“不太可能了,除非有人照顾他。”她答道。

“可那会发生什么事呢?”奈德失声大叫,“他家会发生什么事呢?”

“他女儿得回来料理他家的事。哦,奈德,我还不知道你这么关心他呢!现在我们什么也做不了,只能等待。等你和希拉里舅舅旅游回来的时候——”

“不!”奈德大声说,“我不跟舅舅走,我哪儿也不去了。”

“小奈德,怎么了?”

斯卡罗普夫人轻轻地走进屋,说:“奈德,你这样吵吵嚷嚷的会让你可怜的妈妈心烦的!”

“斯卡罗普夫人,你能不能不帮我说话呀?”沃利斯夫人说话的口气很严厉,有一会儿奈德都忘了自己还在屋里。“我很渴。”妈妈继续说道,语气稍微缓和了点儿。

“我还感觉有点儿冷。您能给我拿点儿热饮来吗?”

斯卡罗普夫人不情愿地离开房间后,沃利斯夫人悄声对奈德说:“我不冷也不渴。小奈德,你看起来这么惊讶啊!”她对他笑了笑,又摸了摸他的下巴。“我不像你父亲那么好。有时候我会说点儿小谎。”然后她抓起他的手放在自己手里。“奈德,你为什么不能和希拉里舅舅一起

去呢？人不是每件事都应该说出来的，但有时一件事真会影响一个人的生活。我感觉好像你发生了什么事。”

他目不转睛地看着她，真希望她能够猜出一切。但是，如果她知道他射瞎了一只猫的眼睛，让有生命的东西受苦受罪，她还会像现在这样握着他的手吗？他曾经在丁香丛中抓到过一只田鼠。当他把它带回家时，她满面笑容地用一只肿胀的手指轻轻地摸它。她喜爱鸟，也喜爱她的猫波尔丽姨妈。

可是她会明白他当时真不知道那个影子是个活的东西吗？

“唉——”她突然叹息了一声，“要是我能够到处走该多好啊！”

他当时知道它是活的吗？

“我不想去查尔斯顿，”他说，声音有些颤抖。“我不想离开家。”

妈妈拍了一下他的手。

“好吧，奈德，”她平静地说道，“你不是非去不可。我们会和希拉里舅舅联系的，我知道他会觉得很遗憾。不过以后还会有机会的。”

几天之后，斯卡罗普夫人走了。临走的时候，她用粗绳子包好她的那些地毯，并且不让任何人帮忙，自己把

地毯搬到了帕卡德车上。从她的表现可以看出，她丝毫不介意离开这里。她告诉奈德，她正要去干一些比现在更高级的事情，像她那样活跃的女人一直窝在乡下是很难受的。现在她会待在城市中，有更多人可以说话，而不是面对一个孩子和一个残疾人。她在餐桌上留下一大堆纯巧克力饼。他决心不碰它们。尽管他努力克制了，可还是拿起了一块儿。

爸爸开车送斯卡罗普夫人走了以后，奈德到后楼梯她的房间里。他感觉屋子比以前更空了，好像她带走了一些看不见的东西。橡木梳妆台上蒙着尘土，一条薄薄的白色床单盖在床垫罩上。妈妈说"哼哈"夫人走了，现在房子显得大多了。

斯卡利先生暂时回不来了，伊芙琳把从她母亲那里听到的这一消息告诉了奈德。他得了中风病，说不了话，胳膊和腿也动不了。消息传到桃丽丝那里，她就要到东部来看她的父亲了。

每天下午，奈德都去斯卡利先生的后院等那只灰猫。当天气寒冷时，他就待在木棚里面，手里拿着纸袋子，里面装着他收起来的剩饭。他把纸袋贴在身上以免食物冻成冰。他一看见那只猫从外屋后面出来，就赶紧往那只旧碗里装满食物，然后放在地上。那只猫会极小心地靠近棚子。当它用那只好眼睛盯着奈德看时会把头

竖起来。奈德退进棚子里，一直等到猫好像吃饱了为止。

看着猫吃食，奈德感觉好像自己的胃口也在被填饱，他的担心也被解除了。和猫在一起时，他就可以不必处处留心了。

他没法把牛奶先带到学校，然后再带到斯卡利先生的棚子里。一天，爸爸带他到沃特维尔镇河街的理发馆去理发。之后，奈德告诉爸爸他想去码头，那里是哈得孙河昼航船停船接送旅客的地方。他告诉爸爸他想一个人去。爸爸感到有些惊讶，不过还是说："好吧。"然后，他去了镇中的大百货商场给沃利斯夫人买睡衣。

奈德去了杂货店，用自己从斯卡利先生那儿挣的钱买了几个炼乳罐头，然后又去五金商店买了一个小碎冰锥。他很确定爸爸不会注意到他那鼓鼓的外衣兜的，因为他往往看人的脸而不看人的衣服。

那天理发后他感觉脖子很清爽。当他返回到帕卡德车里时，差点儿笑出声来，因为当他坐进车座的时候，那几罐牛奶互相碰撞发出了咣当咣当的响声，爸爸甚至看都没看他一眼。

"你总在那个房子后面干什么啊？"一天下午放学后，比利问他。

"我在给斯卡利先生清理东西呢。"奈德毫不犹豫地

回答，“当他从医院回到家时，院子就会像他想要的样子啦。”

“可是所有东西上都盖着雪呀。”比利说。

“现在我正在棚子里干活儿呢。那里的活儿可多了。”奈德说。

现在他不知道还有什么他不可以说谎的，看来他甚至都不在乎说谎这回事了。

斯卡利先生被送到医院的一个星期之后，奈德看见一辆沃特维尔出租车停在他家的房前，出租车司机格罗伯先生坐在前座上，用嘴吹着气暖手。斯卡利先生的那辆小汽车已经陷进雪里，雪已经盖过了车玻璃。

奈德绕到棚子跟前。他的饭盒里装着一些头天晚饭的碎猪肉。他把所有东西都倒进碗里，然后把罐头里的炼乳也倒上一些，他已经用碎冰锥在罐头盒上打了很多孔。

“嗨！”一个声音高叫着。

他转身向厨房门看去，一个身穿棕色厚外套的女人正站在台阶上。

“你在那儿干什么呢？”她质问道。

“我在喂猫呢。”他答道。这个女人的出现让他太吃惊了，他来不及说谎，只能实话实说了。

“我父亲没有猫。”那个女人严肃地说，“如果他有猫,他会告诉我的。"

"我帮他干活儿。"奈德说。

"他没有任何人帮他干活儿。他不需要任何人。"她说。

"我帮他砍柴,拿进屋里,从小山下取信……我和他做伴。"奈德说。

他知道那个穿棕色外套、充满怨气的女人就是斯卡利先生的女儿桃丽丝。当他站在那里和她说话的时候,他有一种莫名的兴奋感,一种力量的觉醒,他突然意识到自己很久都不能说实话了。

"哦,你再也不用和他做伴了。"她说。

尽管他很确信,如果斯卡利先生已经死了,他妈妈会知道,也会告诉他的,可他还是害怕问她那句话的真正意思。他默默地看着她。

"现在他根本不能自理。"她说这话时语气不那么生硬了。"他说不了话,当然不能回这个牲口棚了。"

牲口棚!斯卡利先生的房子是小了点儿、旧了点儿、破了点儿,但是它恰好保护着斯卡利先生啊,就像裹着蜗牛的蜗牛壳一样。奈德真不明白桃丽丝怎么能这么说。

"我正想办法卖掉它。"她说,"为了上养老院,他能得一分钱是一分钱。"

“他没在医院吗?”

“很快就要把他搬出医院了。”

奈德有一种强烈的愿望,希望看到那个老人,看他将一滴朗姆酒倒进他茶水里的样子。

现在,斯卡利先生的女儿把她的外衣领子往上竖了竖,几乎碰到了脸。她的目光越过山谷望向另一面那些低矮的小山脊。“下雪了!”她冷冷地大声说道,然后又转过头来看着奈德。

“好吧,我想在有人买下这个棚子之前,你可以继续喂猫。”她说。

“我能看看斯卡利先生吗?”

“我想可以吧。”她勉强答道,“不过,看他就像看一面墙一样,他现在就是这样。医生说他有可能会好转——那种事没人打包票。不过他耳朵听得见。如果你想让我告诉他什么事的话……”

“告诉他我在照顾我们的猫呢。”奈德说。桃丽丝点点头,没有看他,退进房子里。

不知是不是因为格罗伯先生和他那辆出租车的缘故,还是因为斯卡利先生的女儿在房子里,或是什么别的原因,那只猫好几天没露面了。奈德每天都给猫食碗里留些食物,第二天再把那些几乎冻硬了的食物倒出来,再倒进一些新鲜食物和牛奶。现在,斯卡罗普夫人不

在家里，没法再用她那小小的蓝眼睛监视他了，他认为猫能吃什么就拿什么。金博尔夫人态度友好，容易相处，但是她并不注意他在厨房或者食品室里干些什么。他猜想，她已经很习惯孩子们走来走去、到处闲逛、做些基本上与她无关或使她担心的事了。

圣诞节的前三天，奈德发现斯卡利先生房子的前面竖起一根柱子，上面贴着广告，写着“待售”两个字。邮筒里好几天都没有沃特维尔报纸了。奈德开始往山上走的时候，好像瞥见了那只猫在离他大约一百码远的云杉树后一闪而过。他没去追它，他想它已经被出租车和桃丽丝吓得够呛了。到了棚子那里，他惊喜地发现，他下山去邮筒之前放进碗里的食物已经没有了。

但是他的高兴劲儿没超过两分钟。他想到还有几个月份很难熬，一月份、二月份、三月份都很冷啊。他怎么能让猫坚持活到暖季来临呢？

学校、课程、教堂，这些都像另一个房间里的喃喃低语。他和妈妈的交谈越来越不自然，他也看得出她的迷惑不解。把枪从阁楼里拿出来，射出了子弹，那是他第一次违背父母的意愿，奈德感觉这些好像是发生在几年前的事了。关于枪的事，他说的所有谎言和托辞已经堆得像覆盖着冰雪的大山一样。他感觉他的秘密已经在他的周围冻结了，他不知道怎样才能把它化开。

奈德看着爸爸从壁橱里拿出一件长皮斗篷，打开包在外面的床单。是妈妈的外祖母在遗嘱里把这件斗篷留给妈妈的。每到圣诞节前夕，爸爸开车带全家去教堂时，妈妈总要穿着它。

奈德把手放在柔软的毛皮上滑动。

“这是用什么做的，爸爸？”他怯怯地问道。

“我想是海豹皮。”爸爸回答。

他和爸爸一起修剪了站在客厅书桌另一侧的小圣诞树。奈德开始感觉喉咙很疼。

“小奈德，你脸怎么这么红啊！”爸爸说道，“你感觉还好吗？”

“不好。”奈德痛苦地说。

半小时以后，奈德躺在了床上，他的牙齿直哆嗦，发出咔哒咔哒的响声。爸爸给他盖上好几条毛毯。

第二天一整天他都在发烧，抖个不停。“金博尔夫人会来陪着你的，”爸爸说，“妈妈也在家。我知道你有多失望，亲爱的小奈德，但是你病成这样一定不能到外面去了。”

现在他已经不在乎看不见灯光闪烁的巨大圣诞树了，就像他不在乎没能和希拉里舅舅去旅游一样。他想象自己甩掉毛毯，跑下小山，把食物送到那只猫食碗里。

但是他很清楚他不能那样做,也不会那样做。

过去他有时喜欢生病。他生病时,爸爸会用盘子给他端来满满一高杯的蛋奶酒,或者一盘微凉无水的烤面包片,或者一碗可口温热的牛奶。妈妈会从她屋里和他大声说话。当爸爸把她的轮椅推到离他门口很近的地方时,她就给他讲故事。

可是现在他却非常烦躁。

那真是一只可怕的猫啊。当爸爸站在他的床边等着取出他口中的温度计时,他突然有了这种感觉。它又丑又瘦,毛一块儿一块儿的,胡须稀少。它从不像珍妮特的任何一只小猫咪,甜甜地喵喵叫,坐在她的大腿上打呼噜。它的一只眼睛是个黑洞。

眼睛。他的错啊!当爸爸把温度计从他嘴里取出来时,他低声说:"死了,猫,死了!"

爸爸低下身子轻声问:"你说什么呢,小奈德?"

奈德摇摇头。爸爸把他那长长的凉手放在儿子的额头上。

第七章

失 踪

圣诞节的第二天，奈德的烧退了，体温恢复了正常。爸爸说只要他能穿得暖和点就可以下床了，但还不能下楼，楼下房间里风太大了。

他希望学校假期早点儿结束，他还是头一次有这种想法。他感觉好像每天都有一个星期那么长。他从一扇窗户走到另一扇窗户，望着外面积雪覆盖的景色。在一年的其他季节里，总有什么东西在动，或者在扇动翅膀，或者飞过去，比如树叶、鸟、昆虫、松鼠、在微风中摇曳的草……可是现在，除了他嘴里呼出的哈气在玻璃窗上凝成细小的水滴外，他眼中的一切都一动不动。

他每天都和妈妈待上几分钟时间。她的身体状况也不好。楼上就像一所医院。

爸爸端着装着食物的盘子上楼，又端着空盘子下楼，那些食物闻起来有点儿像常青树的气味。圣诞节的早晨，爸爸早把银丝一一挂在他们家的圣诞树上了，可

是奈德还没下楼看过呢。所有的一切都是互相分开的，圣诞树、爸爸、妈妈、他自己。他的四肢很沉，他甚至能感觉到自己目光很呆滞。他四处闲荡，偶尔会被自己突然剧烈的喷嚏唤醒。他的整个房间闻起来全是止咳药的味道。

他穿着那件旧的棕色毛浴袍，无聊地玩弄着他的圣诞礼物。浴袍早就穿小了，腰带都快到他的腋窝下面了。他在爸爸给他的莫尔斯电码发报机上学习敲呼救信号，调节希拉里舅舅从纽约市给他寄来的显微镜。希拉里舅舅在信中说，那不是新显微镜，但却是真的，他希望奈德能从中获得快乐，尽管那快乐远不如去查尔斯顿旅行那么美妙。

唯一能够真正分散他的注意力，使他不再感觉时间过得太慢的是《诱拐》那本小说。每天午饭后，他都读上几页。但是还会有些时候，甚至当他正读着小说的时候，当他兴奋得跳起来在各屋闲逛的时候，他都会想起斯卡利先生躺在医院的病床上，想起那只猫，不知道在窗外那严寒的环境里猫是否能活下去。

这一天终于到来了，他终于能够脱掉浴袍，穿上户外衣服了。很长时间他第一次感觉饭吃起来很香。他打开前门，吸进一大口雪后的空气，便出门上学去了。

外面的风景看上去不再那么冰冷了。他看见雪地里

有脚印，有动物的，也有人的。光秃秃的树枝发出咔哒咔哒的响声，炊烟从烟囱里冒出来，一只灰色的小鸟在松树枝上喳喳地叫着，伊芙琳家的狗叫声震破了静止的空气。雪也有自己的喧闹声，它在变形，或者解冻，或者变硬。当他走在上面时，它会发出吱吱的声响。

那天他很高兴和比利、珍妮特、伊芙琳一起走回家。正当四个孩子走过石头房子的时候，天开始下雪了。快速飞落的巨大雪片挡住了奈德的视线。奈德有时在巨大的海贝壳里倾听大海的咆哮声，那个海贝壳是希拉里舅舅从加勒比海岛给他带回来的。大雪的降落减弱了所有声音，它发出一种温柔的咆哮声，奈德感觉好像自己突然被放进了那个海贝壳里一样。

日子一天接一天地到来。太阳离地面更高了，尽管光线依然苍白，但感觉却不一样了，要暖和一些，强烈一些了。放学后，他几乎从不直接回家。

他到各个小山游逛。他穿过树林深处走回家，以前他还从没敢往里面走过。他抄近路通过田野走回家，那里的积雪有时能达到齐腰深。他最喜欢的地方是梅克皮斯大厦周围。他会走上小山，顺着沿金博尔家房子砌起的旧石头墙走。看见斯波特系着牵引绳冲出来、抬头对着天空汪汪直叫的时候，他感觉很好笑，好像自己正飘浮在上空的某个地方呢。

当他从松林里出来，走到废弃的梅克皮斯大厦所在的小山顶上时，他意识到自己已经找到了冬天的中心地带。在太阳落山的时候，如果他往北看，能看到自己家一扇阁楼窗户反射的微光。

奈德坐在柳条长椅边上眺望河对岸的山。尽管他家也同样建在小山顶上，但风景却截然不同。他坐在那里，感觉心跳得很快，好像他在等待什么事情发生一样。那种事无法预料，有可能很糟糕，也有可能很完美。

一天下午，当树林里到处都是融化得蓬松多孔的雪时，奈德穿着湿透的橡胶套鞋站在梅克皮斯大厦的走廊上，他看见最远处有个不寻常的东西一闪而过。它动作很快，模糊不清，就在草地尽头和树林相接的地方。他盯着影子晃过的地方，好像在通过显微镜看呢。就是那只猫。或者是一只别的猫。甚至在他看的时候，它就像斯卡利先生呼出的一口烟一样消失了。猫嘴里还叼着什么东西呢。

他走到长椅那里坐下。伊芙琳说过这个地方闹鬼。奈德不害怕，在他看来大厦很古老，像他在明信片上看见的希腊神殿一样古老。他没有任何想追赶那只猫的冲动，他是被什么抓住了，但抓他的不是鬼，而是一个秘密。他暗想，如果他看见的动物是那个一只眼睛的猫，那就说明在没人帮助的情况下它挺过了很长时间。没看清楚那个动物使他感到非常轻松，他不想再为那只猫难过了。

在回家的路上，他在斯卡利先生的房子那里稍微停了一下。“待售”的广告牌已经不见了，福特小汽车也不见了，外屋已经拆倒了，拆出的木柴堆在后门附近。奈德看见了棚子里的猫食碗。他拿着那只碗，朝州际公路的方向往山下走了几码远。突然，他抬起手使出全身力气把碗扔了出去。然后他转过身，向自家车道跑去，没有往后看，也没有听那碗落地的声音。

“你去哪里了，我的流浪儿？”妈妈问道。金博尔夫人刚刚给她端来了一杯茶。金博尔夫人不像斯卡罗普夫人那样给他做好吃的，她不是一个好厨师，但她很善良很随和，所以奈德并不介意。斯卡罗普夫人是个哪怕往你这里看一眼都会扰乱你心绪的人，但是金博尔夫人，甚至在她提醒你该做什么事的时候，都会使你感到好像没人管你一样。

“我经常去梅克皮斯大厦。”奈德说。他往凸窗外面看，看见了梅克皮斯大厦的那些烟囱。在夏天，那排枫树会把烟囱挡住的。“梅克皮斯一家发生什么事了？”他问道，“你了解他们吗？”

“从18世纪开始，那家人就住在哈得孙谷这个地方

了。”她说，“那个房子的一部分是革命之前建成的。”

“伊芙琳说那里有鬼。”

妈妈从茶杯上方看着他。他感觉自己有段时间没有见她了，尽管他每天都去看她，至少要待上好几分钟。确切地说，有一段时间他没有仔细端详她了。她看上去上身弯得更厉害了，说话的声音也更细弱了。

“我认为没有鬼。”妈妈慢悠悠地说，“如果说真有什么的话，也是曾经住在那里的那些受苦受难人的灵魂吧。你祖父买下我们这块土地时，他们还是一大家子人呢。世界大战中牺牲了三个儿子，女儿里有两个结婚搬走了，离这里很远。我刚结婚来到这里时，梅克皮斯大厦就剩下一对个子矮小的老夫妻了，他们小得和结婚蛋糕上的人差不多大。他们去世时，他们的大女儿拿走了所有家具，封了房子进行拍卖，可是没有人买。我还能走路的时候常常去那里，坐在走廊那个旧柳条长椅上。我想，我还带你去过好几次呢。”

“现在我就坐在柳条椅上。”奈德说。

“是吗？”她问得那么温柔，奈德不得不把目光移开。出于某种原因，他的眼里充满了泪水。

“那里不是真有鬼，小奈德。”她更加肯定地说，“我想到处都有灵魂，在这个世界上活过的所有人的灵魂。”

“我以为他们在天堂里呢。”

“是的，你爸爸是这么说的。”

奈德伸出手，轻轻摸了一下她的头发。

“斯卡利先生房子前面那块儿‘待售’的广告牌不见了。”

她告诉他那个房子已经卖掉了，斯卡利先生已经被搬到了沃特维尔养老院。

“那不是斯卡罗普夫人工作的地方吗？”他吃惊地问道。

“对，就是那儿。但我们不用担心，她嘛，用‘好得多’这个词来形容她还不太恰当，但不管怎样不像以前那么吵了，因为她做管理工作了。爸爸去看过斯卡利先生，说斯卡罗普夫人很关心他，她很关心那里的每一个人。”

“斯卡利先生好些了吗？”

“他受中风影响的那一侧能稍稍动一动了，但还不能说话。”

“他女儿待在那里吗？”

“她回西部去了。”

从他过生日到现在，真不像只过去了五个月的时间。

妈妈摸了摸他放在轮椅扶手上的那只手。她的手指热乎乎的很干爽。他们默默地互相看了好一会儿。“你最终会感到高兴一些的，”她最后说道，“生活往往会自动

朝好的方面发展的。”

奈德进了自己的房间，心里想着大人对他说的那些话。妈妈的身体会自动好转吗？有时候，他感到他父母的话是在试图朝某个方向引导他，爸爸的话比妈妈的话引导性更明显——像棍子一样，爸爸曾用那根棍子在一些水坑里推动纸船，把它划到对岸。

礼拜天的教堂长椅几乎是热的。当爸爸宣讲经文时，他抬眼看着他，但思路并没有紧紧跟上。他在努力想象着蒲公英那臭鼬般的美妙味道，结果意识到人是想象不出味道的。他听见爸爸说：“盲人和跛子来到圣殿他的面前，他就把他们的病给治好了。”

他想到梅克皮斯大厦的走廊里满是盲人和跛子，他们挤上来，倚着门和窗户，爬上长椅，那个一只眼睛的猫在他们的脚下到处逃窜，试图不被人们踩到。要是他透过窗子看到的那些大空房子里有一间起火了怎么办？要是大火沿小山蔓延烧到他家的房子怎么办？比如大量火星落到他家房顶，火焰烧光阁楼的地板和装那支枪的长盒子……

“让我们祈祷吧。”沃利斯牧师说道。奈德低下头，紧紧地闭上眼睛，火熄灭了。

“我们能去看看斯卡利先生吗？”在回家的路上，奈德问爸爸。

“今天我们就去。”爸爸说，“这事我已经想了一段时间了。我很高兴你提醒了我，小奈德。”

沃特维尔养老院是个巨大的砖砌建筑，有两个塔楼在宽阔的城镇主街上，离爸爸偶尔买盒自制巧克力的店铺不远。奈德和爸爸站在一个大的中央大厅里，大厅里有股酸酸的气味，像快要坏了的奶油的气味。地板擦得亮亮的，上面打了蜡，有点儿滑。他们的右侧有扇门，门上写着“办公室”的字样；左侧是一间装满桌椅的大屋子。有三个老妇人坐在里面听收音机，其中一个拿着个号角状助听器对着自己，助听器看起来像鹿角。正当爸爸走到办公室门口时，门开了，斯卡罗普夫人悄悄地走了出来。她穿着白色工作服，头发束起来，扎成一个圆髻。除了笑容，她的一切看起来都与以往不同了，那缓慢的动作，得意洋洋的表情，好像在告诉奈德：“我好极了，而且知道很多秘密呢。”

“沃利斯牧师，您和亲爱的小奈德怎么来了？”

“哎呀，斯卡罗普夫人！你看上去气色真好啊！”爸爸大声说道，“我们是希望看看斯卡利先生，如果他身体受得了，在你看来又对他有益的话。”

她点点头，看上去明白了。“有益，”她重复道，“是的，当然啦。他看见你们会很高兴的。我们在尽最大努力帮助他，牧师，可是他恢复得很慢。”

她领着他们上了一段长长的台阶，顺着一条窄窄的走廊，经过好几扇关闭的门，最后来到斯卡利先生的房间。他房间的门开着，一盆死掉的天竺葵放在窗台上。斯卡罗普夫人边往床的另一边走边发出咯咯的叫声，床上的斯卡利老人正一动不动地侧身躺着。“他喜欢他那小盆花。”斯卡罗普夫人大声说，“但是我提醒他了天竺葵冬天不好养。”她咧开嘴笑了，同时弯腰对着床说道：“猜猜谁来啦！”

爸爸紧紧地抓着奈德的手，绕过床脚，和斯卡罗普夫人站在一起。奈德感觉自己的心直往下沉，就像他翻开一块儿石头后突然看见昆虫和蠕虫突然动起来的感觉一样。

斯卡利先生的头发像绒毛一样，他的脸颊和下颌上有稀疏的胡子碴儿，他的下嘴唇看起来好像固定住了一样。但是他的眼睛却很亮，能认出人并充满智慧，像煤炭一样在那张苍白如灰的脸上燃烧。奈德弯下腰看着他，小声说：“你好，斯卡利先生。很高兴见到你。”

“大声说，小奈德。”斯卡罗普夫人命令道。

“我们希望我们的邻居能尽快回家。”沃利斯牧师用一种讲经的语气说道。奈德发现，在天竺葵和斯卡利先生躺着的那张窄床之间的地方非常窄小。他正想着的时候，爸爸和斯卡罗普夫人已经到走廊里热情得说起话

来。

奈德俯视着老人,老人的一个肩膀很轻微地动了一下。和一个无法回应的人说话,奈德真不习惯。他告诉斯卡利先生,他去看梅克皮斯大厦了,还告诉他一些学校的事以及他在读什么书和学什么东西。他没提他碰见了桃丽丝的事,没提斯卡利先生的小车不见了,也没提那个外屋已经被拆毁了。突然间他没话可说了。斯卡利先生眨了眨眼睛,奈德认为他这是微微笑了笑,不过他也不完全确定。接着,老人非常缓慢地从白色床单下伸出一只手,做了一个简单的抚摸手势,好像在轻轻抚摸一只动物一样。奈德抬眼看看爸爸和斯卡罗普夫人,他们已经到离门更远的地方了。他弯腰把嘴贴近老人的耳朵。“我想我看见它了,”他低声说,“我确信它在树林边上,而且它抓住了什么东西在吃呢。”

当他站直身的时候,斯卡利先生的眼睛正向上对他眨动着。

当他们开车回家的时候,奈德问爸爸他能不能再去看望斯卡利先生。爸爸说下周六他打算去公立图书馆做研究,到时候会带上他的。“我想,看见你,对他的身体有好处,奈德。”爸爸说, “他女儿突然离开回西部了,我想她有事需要照料离不开吧。现在他很孤独。”他不说了,看起来有点儿犹豫。然后他又说:“我感觉你应该知道他身体不大可能好转了。”

“你是说他要死了吗?”奈德问。

爸爸的嘴动了一下,好像在找合适的词来回答他。

“我知道。”奈德说得很快。爸爸把胳膊放在他的肩膀上,抱了抱他。

奈德去看妈妈。他告诉她去看斯卡利先生的情况。“养老院是斯卡罗普夫人的吗?”他问道。

“她就给人那种印象!”妈妈大声地说,并开始大声笑起来。他没有太在意她说什么,而是在想关于这次探望他没告诉妈妈的事——他还告诉斯卡利先生他看见了那只猫,或者是一只别的猫。

“这正如我想象的一样,”妈妈说,“现在她高兴了,她拥有了自己的王国。”

和妈妈在一起时,奈德很少感到无聊,但现在他不想再谈论斯卡罗普夫人和她的王国了。

爸爸已经开始准备主日饭,奈德下楼去厨房了。他常常喜欢看父亲做饭。爸爸像鹿一样从桌子边跳到水池边再跳到炉子边。在奈德眼中,现在的爸爸和站在养老院斯卡利先生房间里生硬地自言自语的爸爸简直判若两人。他像浣熊拿起自己的食物一样,快速优雅地拿起了一个土豆。他在给奈德讲他正在准备写的文章,那是关于教堂历史的,是关于那里所有他的牧师前辈的。过了一会儿，他太忙了顾不上和奈德说话了，而奈德却发现自己竟然上了后楼梯，接着上了阁楼。

天还亮着，他没必要开灯。他绕过那些杂志、书和箱子，站在没完工的屋子门口。

从他站着的地方，他能看见那枪盒子上的灰尘。他几乎不相信自己曾经碰过那个盒子，曾经拿出里面的枪，带着它下楼，路过正在床上睡觉的斯卡罗普夫人，一直走到大厅，出了前门，沿杂草丛生的路走到了马棚。

他想起了枪托在肩膀上的感觉。一两分钟之后，他走到小窗户那里往外看。天空灰白发亮，像爸爸的灰色珍珠领带夹一样。透过树枝间隙露出一抹颜色，有淡黄色和粉红色。奈德知道，很快铃兰就会从厨房窗下的泥土里钻出来了，像小钟一样盛开的花朵会散发出沁人的芳香。很快复活节假期就要到了，尽管现在地面上还有积雪。

教堂将会在牧师住宅附近的草坪上为主日学校的孩子们开展寻找复活节彩蛋的游戏。复活节那天，爸爸会把妈妈抱下楼，放到帕卡德车上，开车把她带到教堂，再抱到教堂的长椅上。她和奈德将坐在长椅上聆听爸爸的复活节教堂演讲。他会坐在妈妈身旁，就当她能够站起来像任何其他人一样走路。每当她被带到教堂他都那样做。

爸爸在沃特维尔图书馆又待了三个星期六下午，在那些天里，他都把奈德放在养老院，好让他去看斯卡利先生。奈德感到，斯卡利先生是他唯一真正想见的人。

他习惯了地板蜡那冰凉发酸的气味，但却不习惯斯卡罗普夫人穿那身工作服和她那紧紧束起的新发型。

尽管她一直面带笑容，却依然是老做派。他第一次单独去的时候，她问："现在呢，你得给我讲个什么趣事吧？"

"他们要建完学校附近的新车库了。"他说。

斯卡罗普夫人仍然面带笑容地说："你在受委屈吗，亲爱的小奈德？"

他突然担心起她会不让他上楼去看斯卡利先生，于是他试图想起什么能引起她兴趣的事。这时，她抓住他的胳膊，抓得很紧。"走吧！你会自己找到地方的。斯卡罗普夫人了解男孩子，无论小男孩儿还是大男孩儿！"

当他上楼时，他想起一件他确定会使她感兴趣的事——几个月前的一天夜里，他是怎样拿着一把雏菊牌气枪蹑手蹑脚地走过她的房间的。想到要告诉她这件事他就暗自笑了，但是那是一种令人不快的狞笑。他很确信，那天夜里向窗外张望的那个人不是斯卡罗普夫人。他开始怀疑是否真的有人看到过他。

一个穿护士服的高个女士正站在斯卡利先生的床边，手里抓着斯卡利先生的手腕。她看着奈德，微笑着说："你一定是斯卡利先生的朋友吧。"

奈德点点头。"我是克莱护士。"她说道。她轻柔地放下斯卡利先生的手腕，拉起床单盖到他的肩膀。"他看见你会高兴的。"她边说边离开了房间。

斯卡利先生多么安静啊！他的内心有什么东西在乱跑，试图找到出路吗？他在想什么呢？

奈德回想起几年前他开的一个玩笑。一天晚上，爸爸在对他做晚间祈祷：现在我躺下睡觉，我向主祈祷我的灵魂……奈德把一个枕头放在毛毯下面，然后自己爬到了他的床下面。

爸爸对着枕头说了半天，奈德笑得都呛着了。当奈德抓紧爸爸的一只脚踝从床下冒出来时，爸爸也笑了。那件事一定发生在妈妈生病之前；那些日子里爸爸经常笑。他模仿妈妈的马科兹莫，在长长的客厅里奔跑。他开的玩笑几乎和妈妈的玩笑一样好笑。在那些日子里，他做每一件事都和做晚饭一样快，他的声音听上去也几乎总是很真实。

奈德绕到床的另一侧，轻声说："你好，斯卡利先生。"他等了有一分钟才想起来老人并不能跟他打招呼。老人抬眼看着奈德，他的眼睛像上次一样明亮而有生

气。但是他看上去还是稍稍有点儿变化——好像他往床里陷得更深了。

“有人把你家院子清理干净了，”奈德告诉他，“每天放学后我都顺便到那儿看看。”

斯卡利先生眨了眨眼睛。

“原来我很确定猫死了。”奈德压低声音说道。

斯卡利先生动了动他的脑袋，弄得枕头都“沙沙”直响。他的嘴巴微微张开了。

“它从没回到棚子。但是现在我很确定，我看见的那只猫就是它，它嘴里叼着的也许是只老鼠，它甚至学会了用一只眼睛来捕猎呢。”

老人的目光越过他的肩膀，奈德感觉心里空落落的。他转过身看斯卡利先生在盯着什么东西看呢。窗台上只有那棵植物，棕褐色并且落满灰尘，植物周围的土都干巴了。

“你想让我把那棵植物带走吗？”奈德问道。

斯卡利先生呻吟一声，并眨了眨眼睛。

“那可能会让斯卡罗普夫人发脾气的。”他说。斯卡利先生像人们笑时那样挤了挤眼睛。“可能她不会生你的气。”奈德说，“因为你不能回答别人的话了。”

已经消失的空虚感又回来了。奈德开始讲学校的事，讲他在学的东西，算术有多难，他听自己的声音完全

像他回答布鲁斯特小姐和别的大人的问题时的声音一样。他惊讶自己在谈论学校事情的中间停了下来,转而描述土路角落里的石头房子和梅克皮斯大厦长长的走廊,以及他独自一人在那里远眺整个山村时的感觉。充满兴趣地描述这些让他感觉好些了。但是有一阵他厌倦了自己的独白,那时小屋里好像没有别的,只有寂寞。他向斯卡利先生告别并承诺还来看他。他带着那棵植物走出病房,并不确定该怎么处理它。克莱护士突然从另一个屋里走出来,他默默地把它伸到她跟前。"我一直打算把那个拿走呢,"她说,"我要试着给斯卡利先生找一棵活的植物来。"

他下了楼梯,走出养老院的前门,庆幸自己没有撞见斯卡罗普夫人,这时他的耳边还能听见他自己的回音,就像他和斯卡利先生在房间里说话时听到的一样。当他在图书馆里找到爸爸时,问道:"你在讲经文的时候,突然只听见自己的声音,没有任何人回答你,你有过很特别的感受吗?"

爸爸仔细地看了他一会儿,说:"有的时候有。大多数时候,我感觉所有参加圣会的人都在和我说话呢,多半是在他们内心里。"

奈德明白,可能他和老人说学校和所有其他事时听上去有点念经的味道,但爸爸的演讲和他对斯卡利先生

的独白是不同的。

下一个周六他看见斯卡利先生时，感觉他更虚弱了。他的眼睛半睁着，一次都没眨，只是盯着奈德看。克莱护士告诉他说话时声音要很轻，拜访的时间要很短。站在斯卡利先生床边的头几分钟时间里，他几乎什么都说不出来。他很想摸一摸老人家，摸摸他的肩膀，摸摸他的脸颊，但是他又怕那样做会吓到老人，或者老人的皮肤摸起来会像蛾子的翅膀一样脆薄易碎，粉末飞扬。

正当他要出门的时候，斯卡罗普夫人看见了他。她抓住他的胳膊，悲伤地摇摇头。

“我恐怕，我们和斯卡利先生待在一起的时间不会太长了。”她说道，并一下子把他搂进怀里。当他挣脱开她的时候，她对着天花板大声说上帝做事的方式很神秘。他不明白这句话怎么能用在斯卡利先生身上，他以前在教堂里也听过很多遍，不过毫无疑问这话很适合斯卡罗普夫人。

接下来的周六他来的时候，克莱护士和斯卡罗普夫人正在大厅里说话，拿着像鹿角一样号角状助听器的那个老妇人正蹑手蹑脚地慢慢上楼梯。克莱护士告诉他，今天的探望时间不能超过五分钟。斯卡罗普夫人张着鼻孔说：“完全按克莱护士的话做，这次别磨磨唧唧的。”

斯卡罗普夫人对他不恭的态度让他很气愤，这种愤

怒使他忘记了克莱护士的话，但是当他站在斯卡利先生的床边时他又想起来了。房间的窗帘拉着，老人的眼睛闭着。奈德使劲儿地听，才勉强听见微弱缓慢的呼吸声，每一次呼吸都像叹气一样。

“斯卡利先生？”他小声说。

斯卡利先生的眼睛颤动着睁开了。他看起来好像失明了一样，然后慢慢地将目光聚在奈德身上。

“我知道你感觉不好，所以不会待很长时间的。”奈德说。他感觉头晕目眩，好像斯卡利先生直看进他的肺腑一样。

“天哪，斯卡利先生……”奈德说。他多么希望自己没有来这里啊。有什么东西在驱赶他，催促他朝着他不知道的地方去。他听见自己大声喘着气。老人安静地躺着，关闭在他那无法解释的痛苦里。他就是那个和自己一起站在水池边，弯腰急切地观察猫玩儿树叶的那个人吗？

“天啊，斯卡利先生——”奈德重复道，“那只猫是我射伤的。”

他又想把他说出的话吞回去了。他听见远处刀叉的叮当声，餐盘的咔哒声，知道是在摆放饭桌呢。一个身穿浴袍的老人慢慢走过斯卡利先生的房门口，他的脑袋向前抻着，并僵硬地保持着那种姿势，好像在当心路上可能出现的危险。现在，房间里面没有声音了，他听不见斯卡利先生的呼吸声了，他感到非常孤独。在他的脑海里，他看见了那只动物的尾巴，它沿马棚的地基移动，动作很快，影子比它实际上更大、更松散，像水在流淌；他也看见了杂草的影子，是月光把它们投射到石头上的。此时所有的一切全都被放大了，好像他的记忆成了显微镜，直接对着那一时刻放大，当时他拿着雏菊牌气枪，枪的威力看似在增强，变得更灵敏，更加畅通无阻。他感觉手指绷紧好像在向后扣动扳机。他气喘吁吁地往下看。

斯卡利先生动了动头，奈德能看见他的另一侧脸颊了，上面全是皱纹。他正直视着奈德，嘴巴动了动，接着他的手开始一点儿一点儿地朝奈德放在被单上的手移过去。

克莱护士出现在门口。“我想今天就到这儿吧，奈德。”她轻声说。

奈德没有动。他不能动，他在注视着那只费力地伸向自己的手。

“奈德?”护士喊道。

他感到了斯卡利先生的触摸，接着他的整个手逐渐地盖在了自己的手上。他的手非常轻，太轻了，好像失去了重量。

斯卡利先生的脑袋又落到枕头上，眼睛闭着，刚才压在奈德手上的那只手颤动了一下，又静静地放在被单上。奈德走出房间，和正往里走的克莱护士擦肩而过。他听见一声呻吟，便回头往里看，克莱护士正向床上那微小的身躯弯下腰，把它挡住了。

奈德往图书馆走。他抬起斯卡利先生摸过的那只手看，好像那只手能说话一样。他终于和另外一个人说他射伤那只猫的事了。斯卡利先生不能说话，然而他却按了按那只手。如果他真认为奈德是个坏孩子的话，他就不会那么做了。但是他一定对奈德有看法的。尽管如此，他仍然试图安慰他，他明白奈德正在为此遭受煎熬。他会说些什么呢?他没有像在家一样被迫对他说了谎——关于那只猫，他只是漏掉了自己所知道的一些事。斯卡利先生要死了，他要离开待在由谎话做成的梯子最高处的奈德了，而那个梯子却无处可靠。

在图书馆里，爸爸从橡木桌上抬起目光看着奈德，桌子上放着几本打开的书。

“奈德，你感觉不舒服吗?”他关切地问。

奈德看见爸爸嘴角的每一边都有两条皱纹，自己以前并没有注意过那些皱纹有多深。另一张桌子上有人打开了一张报纸。如果他走到图书管理员书桌附近的窗户，向下就能够看见沿河岸的街道。过去他总去那条街，那里充满了河水和油的气味。一次，他和爸爸沿那个街

道走,也许是买新鞋,或者是去理发,他一直抓着爸爸的手,低头看着自己的脚顺着人行道走着。有一会儿工夫,他松开了手,接着他向上伸手又抓住了那只手。可是当他抬眼往上看要和爸爸说话时,才发现他一直抓着的是一个陌生人的手。那个陌生人正对着他笑呢。奈德沿街回头看,看见爸爸正站在理发店附近笑呢。每个看见奈德这一幕的人都笑了,最后奈德也笑了。因为那件事和那里水的气味和油的气味,他热爱那条街道,因为在那里他感觉很安全,在那里他能够牵着任何一个人的手,那是个好像每个人都认识他的地方。

爸爸问:"斯卡利先生的情况更不好了?"

奈德点点头,眼里充满了泪水。爸爸从胸袋里掏出一块白色大手绢,伸手递给了他。奈德擦去眼泪。爸爸站起身,用胳膊搂了搂奈德的肩膀,然后把书收起来还给了图书管理员。他们在图书馆台阶上停下来。三月的风吹来了河水的气味,这种气味今天闻起来更像复活节百合的香味,而不是以往的油味。看不出形状的云间透出了灰白的天空。奈德又突然想起去年十月份他看见的吉卜赛人,想起他们的衣服那耀眼浓烈的色彩。现在他但愿自己能再看见他们,他们那黑色、生动的脸庞对周围的一切都漠不关心,好像一切都是梦,他们赶着大篷车在梦中穿行。

当他们坐在帕卡德车上时，爸爸说："我想我让你去看斯卡利先生是不明智的。我知道他身体正变得越来越差。记住，奈德，他很老了，他已经活得很久很久了。"

汽车隆隆直响，奈德希望它赶紧启动。

"我因为你而感到自豪，奈德。"爸爸说，"我很自豪你对大卫·斯卡利的关心。"

奈德深深地坐进车座的长毛绒里。

"你再长大点儿就会发现，人们并不是应该怎么做就怎么做。桃丽丝不是最好的女儿，她只是勉强尽了做女儿的义务。你去看他对他来讲很重要，这让他感觉到一丝安慰。"

奈德突然很生气，他很想大声吼叫："我去看他是因为那只猫！"

然而那样想也不真实。那只是部分事实而已。

几年前有个教堂执事送给他一个保险箱。他弄丢了保险箱和钥匙，但是在他存放在保险箱里的许多秘密东西里，他记得其中有一个小巧玲珑的圣餐玻璃酒杯。那是一个星期六的下午，在没人注意的情况下他把它悄悄塞进衣兜的，他喜欢用它来喝水；里面还有一块他发现的石头，他确信那是印第安人使用的箭头；另有一张他最初学习打印时自己打印的字条，上面写的是：什么是圣杯？

现在斯卡利先生已经成了他的保险箱，里面装着比他以前拥有的秘密更大的秘密。

吸引他到养老院的有那只猫的秘密，但更多的是斯卡利先生本人。他了解他，了解他的习惯，他做面包的方法，他能快速生着炉火的办法，他讲的故事，他往茶水里倒朗姆酒时对他的微笑，他那长长的生命里的无数记忆……

他匆匆看了一眼爸爸。“有一次我偷了一个圣餐玻璃杯。”他说。

爸爸说：“哦，是的。那时你还小。记得有天夜里我看见你在浴室里用它喝水了。”

“为什么你什么都没说呢？”

爸爸突然咧开嘴笑着说：“嗯——如果你再做的话，我就会说了。”

伊芙琳打开了奈德家的前门，她身后站着金博尔夫人。金博尔夫人身穿棕色的丝质礼服，领口处有小花边。奈德看见过她摘下小花领，把它放在两张软纸之间，收在她梳妆台的一个抽屉里，好像那是一条项链一样。

“怎么啦？”爸爸立刻问。

“沃利斯夫人疼得非常厉害。”金博尔夫人回答，“我已经尽量让她舒服点儿了，牧师。”

奈德感觉伊芙琳在关切地注视着他。

爸爸正往楼上跑。

“奈德，我给你们留了一锅汤好晚饭吃，在炉子上呢。艾维来的时候，我让她回家给你们拿了一条新做的面包。”

“你妈妈在哭呢，但没有哭出声。”伊芙琳对他说，眼睛睁得大大的。

“艾维！”金博尔夫人大声喊，“你看不见奈德有多着急吗？让他去看他妈妈吧！”

奈德跑上楼梯，跑过楼梯平台，彩色的玻璃窗把它的色彩洒在平台的橡木地板上，有深紫色、柠檬黄和紫红色。他在穿衣镜旁边停了一下，现在镜子看起来像井一样黑。爸爸正把妈妈从轮椅里抱到床上。她紧紧靠着他，两只胳膊和两条腿挨得很近，好像她被打成结系起来了一样。奈德屏住呼吸看着。当爸爸把她放到床上时，他茫然地向大厅里看，然后关上了门。

他走出家门，跑下山去，到了离修道院最近的那块田野的最远边缘。那里有一堵老分界墙，有的石头都掉下来了。他坐在了一块石头上。在他的周围，漆树那光秃干枯的树枝在风中噼啪作响。他还听见了一声远处的钟声。

最后，客厅里的灯又继续亮了起来。从他坐着的地方看，他家的房子好像远处的一艘船。他感觉现在他可以回家了，如果爸爸在楼下的话，就说明妈妈一定好些了，或者睡着了。奈德知道，从以往的经验看，凡是妈妈病得厉害的时候，在她恢复正常之前，爸爸是不会离开她身边的。

当奈德走进大厅时，爸爸正盯着衣架附近桌子上的一封信看，他面容紧绷，筋疲力尽。“我没有打开信呢。”他用一种心烦意乱的口吻对奈德说。奈德无言地看着他。爸爸突然笑了，好像刚刚从睡梦中醒来，突然看见了他一样。

“她好点儿了，小奈德。是每年这个时候的潮湿闹的，这让她太难受了，而这座老房子……这么寒冷。她醒着呢，你可以去看看她了。我想金博尔夫人说过汤……”爸爸精神恍惚地向厨房的方向走去。

“爸爸，”奈德喊道，“你忘了脱掉外衣了！”爸爸低头看了看自己。“你说得对。我一直穿着它呢。”

奈德没有等着看爸爸挂起外衣，而是上楼去妈妈的房间了。她正向后靠在好几个枕头上。

“奈德，”她轻柔地说，“别看上去这么害怕。我好多了，你知道这种病总是这样的。不过我想现在有个好消息——爸爸一直在看关于这种病的一个新疗法，并和内文斯医生说过这件事了。注射氯金酸钠，就能减轻炎症。就是因为有了炎症才疼的，你知道。”

“现在还疼吗?”

“还不算坏。”她说。他知道那意味着疼痛还没有消失。

爸爸拿着一封信来到门口。“现在,咱们看看希拉里已经到哪里了,”他说,“夏威夷地区!”他把信放在床上,说他得回厨房热一下金博尔夫人做的汤。

“你可以打开信,奈德。”妈妈告诉他。

他从信封里抽出三张纸。有一张纸上画着一幅画,画的上部是写给他的一封短信。他拿起其余两页给妈妈。她的手没有伸出来而是继续放在毯子下面。“我还什么都拿不了呢。”她说。

那张画是一艘船。奈德还从没见过这样的船呢。短信是这样写的:

亲爱的奈德:

这是一艘中国式帆船,看看甲板有多高啊!很像16世纪的商船。大多数中国式帆船的帆都是鲜红色的,很漂亮,像个美丽的昆虫。我就要坐这样一艘帆船在中国海域航行了。要是有你和我在一起该多好啊!

奈德举起那幅画好让妈妈能够看见。“我很想看看那艘船逆流而上的样子,”她说,“它会唤醒亨利·哈得孙

的灵魂的。”她笑着看他。那是一种镇定的笑，然而笑容之中却透出一股坚强、一种勉强。奈德知道他最好还是离开。他拿起希拉里舅舅的信说要给爸爸看看，她感激地说她现在要睡一会儿了。

爸爸看完那封信，告诉奈德希拉里舅舅将要去参观夏威夷群岛中的莫洛凯岛麻风病人隔离区，那里是牧师达米安神父曾去照顾麻风病人的地方。之后，舅舅将去香港找他可以乘坐的中国式帆船。

奈德和爸爸喝了金博尔夫人做的汤，汤并不那么美味却很解饿。只有这一次，奈德对希拉里舅舅的行踪和活动不那么感兴趣了，因为他得做星期一要交的作业，更主要的是他心里想的还是他母亲的病和斯卡利先生的病。他不想让心里再装进麻风病人隔离区了。

“你明天讲什么，爸爸？”奈德问，他在努力思考能够不去教堂的办法。

“引文出自保罗写给《腓力比书》的一封书信：‘没有抱怨没有疑问地做一切事就可能无可责备清白无辜——’”爸爸突然把话中断，隔着桌子伸过手，把奈德的手抓在手里。“就像你做的一切，我的奈德。”他说。

奈德差点儿就要告诉他了，他感觉他就要一股脑儿地把他隐藏的一切都说出来了。当他抬眼看着蒂芙尼灯罩上玻璃沙漠中的骆驼时，他感觉每件事都涌到了嘴

边，冲击着他那紧闭的嘴巴，可他还是什么都没说。很快爸爸站起来开始清理餐具，又到厨房里给妈妈准备一盘晚餐。他在吹口哨，特别难熬的一天过去之后，他有时候就这样吹口哨。

接着那周的星期三，内文斯医生来了，开始给妈妈治疗，那种治疗方法叫作金疗法。她后来告诉奈德，她唯一在意的是，她要有一段时间不能坐在凸窗附近，因为用了氯金酸钠后接触任何光线都可能让皮肤变成蓝色，而那种盐也会使嘴发痒。

"但是那些都没关系！"她说，"看！"

她把手平放在轮椅托架上，伸直了手指。"我感觉像丝绸一样，小奈德。复活节我甚至都能走进教堂了。想想对唱诗班的影响吧！他们可能会震惊得唱出完美的和声来！"

看见她兴高采烈的样子，奈德很惊讶。他从不认为她真不快乐，当然，除了她疼得非常厉害的时候。可是在他看来，她有时像从远处观看游行的观众一样，只是对游行者做些严肃或者戏谑的评论。现在看她的脸，他发现她的眼睛真大，嘴里塞得满满的，好像她猛然间投身到游行队伍的行列之中了，而不再只是个观望者。这使他有些害怕。

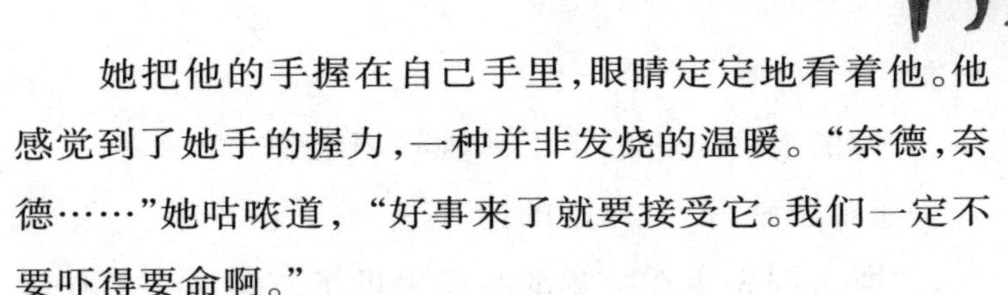

她把他的手握在自己手里,眼睛定定地看着他。他感觉到了她手的握力,一种并非发烧的温暖。“奈德,奈德……”她咕哝道,“好事来了就要接受它。我们一定不要吓得要命啊。”

想要努力做到不害怕,星期六他告诉爸爸他还想去拜访斯卡利先生,即使只能和他待上一分钟。

“你真想去吗,奈德?”爸爸问,“上周看完他你很不快乐。我们到家时让我先给斯卡罗普夫人打个电话吧,如果他好些了,下周放学后我就带你去看他。”

奈德感觉,如果自己今天不去看斯卡利先生,斯卡利先生就不会有足够的精力一直坚持活到下周的。斯卡利先生的样子突然出现在他眼前,他太小了,养老院小床的白色旧床单盖在他身上很平整,连褶皱都没有。但是他只告诉父亲,他肯定斯卡利先生盼着他去呢。爸爸只好在养老院前把他放下,继续往图书馆开。

宽大的大厅里空无一人。在患者休闲客厅里,他看见斯卡罗普夫人正在替一个老妇人整理衣袖,她把袖子拉紧,扣好腕扣。当她看见奈德时,没有向他走近一步,也没有微笑,甚至没有皱一下眉头。他有一种隐隐的不祥的感觉。

“奈德?”是克莱护士在和他说话。她在办公室的门口向他打招呼。当他站在她跟前时,她轻轻地抚摸他的

头发。

“你的老朋友已经走了。”她轻声地说。

他看着她，没明白她的话。

“斯卡利先生在睡觉的时候去世了，”她说，“是在星期一。”

有一会儿，奈德非常沉静。他感觉自己的沉静就像一种睡眠，在这种睡眠中他是安全的。接着他打破了沉静。“去世让他很痛苦吗？”他问道。

克莱护士说，“我想没有。”

斯卡罗普夫人已经进到大厅，他看见她那猜度的眼神很快从他身上转向克莱护士，接着她的脸上出现了悲伤的神情。

“可怜的奈德，我知道你的感觉。”

他现在明白了刚才斯卡罗普夫人不理睬他的原因了，她一直在等克莱护士先告诉他关于斯卡利先生的死讯呢。他立刻意识到斯卡罗普夫人并不只是愚蠢、难以琢磨的人，而是一个吓坏了的人，她害怕告诉他已经发生的事。

克莱护士接着告诉奈德星期四举行了一个简单的葬礼，有个斯卡利先生的表兄参加了葬礼。在克莱护士说话的过程中，斯卡罗普夫人一直站在那里，双手紧紧握着放在肚子上，目不转睛地看着奈德。

当克莱护士上楼去照顾病人时，奈德想，或许她去照顾现在正住在斯卡利先生原来房间里的某个人吧。这时，斯卡罗普夫人说："我希望你还会来看我们，尽管你来的唯一原因是看斯卡利先生。"

"我得走了。"奈德说，没有看她。

"我看得出你没有为老人流泪。"斯卡罗普夫人说道，"聪明的孩子！当人们已经去世了，哭是没有用的。"

他不知道对她说什么。在他第一次看见斯卡利先生伸着胳膊躺在地上时，他的内心就充满了悲伤。自始至终奈德都预料到斯卡利先生会死的，可对斯卡罗普夫人解释这些没有意义。他向她说再见时，看见她脸上有一丝不解的表情。接着他逃出门，到了大街上。

当奈德把斯卡利先生去世的消息告诉爸爸时，爸爸说："看在你的分儿上，他们应该给我打个电话。斯卡罗普夫人肯定知道你关心他。"

关于斯卡利先生的事，他没有再说什么。

"他把所有的事情都安排好了，"奈德对爸爸说，"他整理完了他家阁楼上所有的盒子和提包。"

"我从没像你那么了解他，小奈德。"爸爸说，"他总不与人交往，好像不想与人为伴。"

奈德想，没错。当他们开车路过那个小房子，然后向右转，开上沃利斯家车道时，奈德的内心得到了安慰，因为他知道斯卡利先生已经是他的朋友了。他和斯卡利先生一起照顾了那只受伤的猫，最后，奈德告诉了斯卡利先生自己的秘密。只是，他永远都不会知道斯卡利先生的手压在他手上的意思了。

当他想象如果老人能够说话他会说什么时，他大声叹了口气。“男孩子会那样做。”他们第一次从厨房窗户往外看那只猫时，斯卡利先生说过这句话。

奈德紧张地回忆着那天斯卡利先生说这句话时的口气。奈德很肯定，那不是一种生气或者特别失望的口气，而更像人们谈论哈得孙谷天气时所用的口气，因为那种事并非总能令人高兴，但靠抱怨又改变不了什么。

接下来的一周，斯卡利先生的房子围满了工人，他们看似在除去老人在世时的最后痕迹。工人拆掉了屋顶上腐烂的鱼鳞板，给墙板刷上新油漆，将棚子顶部加长让它看起来大得能护住一辆汽车。奈德看见金博尔夫人在收拾厨房窗户框。

山下学校附近的州际公路上那个新加油站已经完工了，金博尔先生在那里得到了一份稳定的工作，伊芙琳给奈德看她的新鞋时告诉他的这个消息。因为下过春雨地面很湿软，一路上她都小心翼翼地行走。

四个孩子中最重大的消息是，五月份比利要搬到奥尔巴尼去。他的父亲从那里的一个管道工程承包商处得

到了一份工作。时代变好了，可是有机会时你还得抓住，比利引用他父亲的话说。他第一次提到他的哥哥，他哥哥患有小儿麻痹症，需要特殊照料，要花很多很多的钱。比利要搬到北方去，奈德很难过。他们已经开始成为朋友了。

看起来每个人都要消失了。斯卡利先生死了，比利要搬走了，希拉里舅舅在中国海域的某个地方乘坐中国式帆船呢。甚至伊芙琳也要以某种方式消失了，变成了一个不一样的伊芙琳，她的头发梳得很整洁，她的脚穿着新鞋子，她的笑容有点儿拘谨，好像正努力尝试大人的表情。

四月中旬的一天夜里，那是复活节的前几天，奈德醒来听见他门外的地板发出吱吱的声音。他起床踮着脚走出自己的房间，走进大厅，静静地站住倾听着。他听见楼梯上的脚步声。大厅里几乎漆黑一片，但他仍能看出一个白色的影子从楼上飘到楼下的中央大厅，他知道那是妈妈。他没有喊她，他想可能她愿意一个人到处走走，就像他一样，感受寂静和黑暗中的自由。

他们两个人都醒着，但都不说话，都半夜起床，想想都让人感到奇怪。修道士们在修道院里睡觉，直到被召集起来做晨祷才醒来。斯波特蜷起身子趴在狗窝里睡觉。金博尔家所有的婴儿都在他们那些嘎吱嘎吱响的旧婴儿床上睡觉呢，那些床是金博尔家的孩子一个个传下来的。

但是树林里会有动物在忙碌着。猫头鹰可能在抓小猎物，野猫可能在旧马棚的北边松林里或者在梅克皮斯宅基地的边缘游荡，开始暖和起来的土地也到处是爬动着的小动物。

很多个星期了，奈德第一次想起阁楼里的那支枪。一种强烈的渴望迫使他走上去看一看它。爸爸说过他可以留着那支枪，或者在一两年后。那是他的枪。

一阵强烈的颤抖涌遍了他的全身，他赶紧抓住楼梯的扶栏，以免自己摔倒。爸爸还说了另外一个道理，枪能使人想到的没有别的，只有死亡的事物。

他松开楼梯的扶栏，很快走进自己的房间，匆匆地在睡衣外面套上了衣服。他想做的唯一一件事就是走出家门，走得离阁楼越远越好。

当他穿上衣服，手里拿着鞋，走到楼梯顶端时，他听了听，但什么都没听见。妈妈一定还没睡呢，否则他会听到她返回房间的声音，或者她在厨房给自己沏茶呢也说不定。

他甚至都没有考虑那种想法多奇怪啊，他的母亲竟然能为自己沏茶了。当他轻轻地下楼，穿过大厅，尽量轻声地打开前门时，他所想的只有他必须逃走。

一到外面，他好像并没有决定往哪个方向走。好像他正被什么东西引导着，径直向南走去，走到枫树林，然后穿过树林，直走到树林的另一边，边走边抬头看梅克皮斯大厦那些月白色的圆柱子。

第八章

猫的月亮

奈德哆嗦起来。他穿着件羊毛衫和他那条深蓝色校服短裤，但是他因嫌麻烦并没有穿长筒袜，而是直接把脚伸进了鞋里。他感觉地面薄雾的湿气打湿了他光光的脚踝周围，薄雾像一片薄薄的青烟悬浮在长长的草地上。月亮快圆了，月光在河面上闪烁着光芒。像镰刀割掉高草一样，月光将黑暗截去了宽宽的一大条，那杂乱的光边落在走廊的地板上。

他走过去坐在旧靠背长椅上，把胳膊搭在圆形的靠头物上，隔着羊毛衫他能感觉到未经处理的粗糙的柳枝尖。他把身体往后靠，直到把头靠在了墙上。墙板干爽，有点儿温暖，好像被太阳照射了一整天。当他的眼睛适应了黑暗时，他能看出南面大片树林里那一棵棵的树。在地面上有树影的地方，他看见了像烟一样一团团白色的东西，那些或许是血根草或初生蜡菊的花瓣。

现在他平静下来了。他的思绪平静、思路敏捷，无法用语言表达出来。他能够闻到刚长出的野草和野花的香味以及浓浓的泥土气息。他看见了港口和向南航行的船只的右舷灯，他想象自己就站在甲板上，看水面上月光照到的船帆尾部。他站起来顺着走廊走了起来。老房子变了，他踩在地板上发出了吱吱的响声。一阵微风从北面吹来，吹过草地，吹走迷雾，像吸进又呼出的一口气，发出沙沙的响声，接着又消失了。家看上去很遥远，阁楼上的枪看起来像影子一样毫无重量。他转过身，看见有人从枫树林边向他走来。一瞬间他屏住了呼吸。

那个人走上走廊，抬起一只胳膊。

"小奈德吗？"

"妈妈？"他说。

她身上裹着那件旧的斜纹软呢外衣，衣服几乎垂到了她的脚踝。他们一起坐在了靠背长椅上。

"在印度，当你睡不着觉的时候，他们说那是因为有猫的月亮。"她低声说。

"每次我闭上眼睛，都变得更清醒了。"他说。

"刚才我们挨近站着时，我才知道你已经长得和我一样高了。"她说，"你注意到了吗？"

他没有注意。但有点儿奇怪的是他不用再向下看她，不再只是看她的头发和额头了。

"这样在外面到处走，你身体行吗？"他问。

“我想没问题。”她说，“即使不行，我想我也得这么做——这种感觉太神奇了……”

“那种药治好你的病了吗？”

“它给了我一个休假的机会。医生还不确定它的疗效呢，我们得看看再说。”

他们说话的声音很低，好像正合夜晚的柔和气氛。

“我想那下面长着血根草呢。”他说道。

“你记住它的名字了！”

“还有初生蜡菊，”他说，“可能还有延龄草。”

她说名字本身就很可爱，都没必要看花了。

“复活节你都能走进教堂里了。”他说。

“哦，是的。我希望能。”

“也许梅克皮斯家人过去也坐在这儿，就像我们现在一样。”他说。

“也许他们是坐在这里。春天能唤醒人们。在这样的夜晚里，那些女孩子和她们的兄弟们可能会在草地上到处奔跑。春天让你想要跑起来——风这么柔和。”

“后来他们离开去参加战争了。”奈德说，“德国人枪杀了他们。”

“他们带着枪去参战的，另外一些人用枪杀了他们。”她说。她轻轻地摸着他的胳膊。“我们两人坐在这把旧椅子上太重了吧？”她问道。

“我清楚地听见噼啪的响声了。”

他们站起来，开始肩并肩地走。

“我想念斯卡利先生。”奈德说。

她沉默了一会儿。他们正路过一扇巨大的黑窗户。她停了下来，把额头顶在上面，往里看。

“里面没人……”她咕哝道。她抓起他的手待了一会儿。“我们都必须离开，奈德。”她说。

她如此轻声、近乎胆怯地对他说的话，他理解起来很慢。就像有时他睡觉时所做的那样，他会对自己说，我正在入睡，但还没睡着呢，还没睡着呢，然后他就会睡着了。所以现在他对自己说，我明白她说的话——我们都必须离开，我们都必须，我们都必须……就在这时，正当悲伤好像要卡住他的喉咙让他难以呼吸时，一只猫从树林里径直走出来，走进了月光里。

“看！”他小声地说。

又一只猫，体形比第一只小，在第一只后面跟着。第一只猫用后脚站直身体，第二只围着它转了一圈。它们跳跃、摔跤、跳起猛扑，一会儿进入黑影，一会儿又回到月光里。

“他们在跳舞呢。”妈妈低声说。

奈德从走廊边迈步走上草地，沿草地斜坡往下走了几英尺。第一只猫挺直脑袋向他这边看，但另一只猫，较小的那只，又跑回树影里。

“妈妈！还有两只小猫咪。我看见它们了，就在银杉树那里。”

他听见她的低声笑。“多可爱啊！”她说道，“是猫一家出来散步呢。这真是猫的月亮啊。”

小猫咪那黑色的身形像雪球一样在一起翻滚着，然后消失了。现在只有第一只猫还没走。奈德蹲伏着身体以便看得更清楚一些。那只猫直视着他，他看见了它眼部的那个空窝。突然它也迅速跑掉不见了，好像它只能让他看那么片刻时间。

“我们必须回家。”妈妈喊道，“起风了……我们会感冒的。”

他站起来，转身面对大厦。月亮照在大厦的背面，大厦的影子像一个大斗篷落在它前面的地面上。

妈妈迈步走下走廊，也在看着那个大房子。她在背诵着什么，好像只背给她自己听呢。

“入云的楼阁，豪华的宫殿，

庄严的庙堂，甚至地球自身……”

“是《圣经》里的吗？”奈德问。

“不是，是威廉·莎士比亚的，是《暴风雨》那部剧里

的。”

他们走到一排枫树近前。月亮随时都会落下去，现在已经变得暗多了。她抓着他的胳膊迈过从前坍塌的石头墙，来到了他们沃利斯家的地界。

“那只猫只有一只眼睛，”他很快地对她说，“是我射伤的，就是那个原因。”

她停住脚步，叫了声他的名字，有些怀疑，好像不相信刚才是他在说话。

“当希拉里舅舅把枪给了我，爸爸又把它收起来以后，我上阁楼拿了它。我走到马棚，接着看见什么东西动了，我瞄准它就开了枪。后来有一只猫出现在斯卡利先生家，它只有一只眼睛。我们喂它，照顾它。它差点儿死了，后来又好起来了。接着斯卡利先生生病了，我就继续喂那只猫。可是它又不来斯卡利先生的柴棚了。一次我看见它在梅克皮斯大厦那里——就是今天晚上我们看见它的地方。”

他们的四周无比寂静。他想象着正在黑暗中到处滑行的、爬行的和行走的所有动物都在听他说话呢。他看不清母亲脸上的表情。她太安静了，像站在那里的一棵树。

“我们刚刚看见的就是那只猫，来斯卡利先生家的那只，一只眼睛的猫。”

“也可能是别人，或别的东西伤到它的。”她说，“你不能肯定。”

他想了一会儿:然后说:“也许吧。但我是射到了什么东西，我知道那是个动物。当我把枪瞄准任何活动的东西时，我就顾不上了，妈妈。”他听见自己说话的声音很大，很肯定，自己都吓了一跳。她伸出手抓住他的手，拉了拉，感觉他好像扎了根一样一动不动。之后他紧紧握住她的手指，和她一起继续朝家走去。当他们来到枫树那里时，她又停下了。他喜欢在那枫树枝上悠荡，在河岸的上方，在她原来的石头花园的上方悠荡。

“那天夜里我看见你了，”她说道，“我起床了，那是我能够走动的一次。每当能走时我都很高兴。我听见你去阁楼了，也听见你出了前门。在你走后一会儿，我也上了阁楼。我在那把旧莫里斯椅子里坐了一会儿，接着我往窗外看，就看见你回来了，还拿着什么东西。”

“是你呀?”他说，“我拿的就是那支枪。我还以为那是斯卡罗普夫人呢。我开始以为那只是我的想象吧，或者是做梦梦见有人看见我了。”

他们离门廊很近了，都能看清楚台阶和丁香树的形状了。再有一个月，丁香就会开花了，然后那紫花浓烈的芳香就会溢满整个大厅。

“这么长时间，这事一直压在你心里，”她说，“从九

月开始。”

“我告诉斯卡利先生了，但他再也说不了话了。不过，我知道他听见了，但我不知道他是怎么想的。”

“也许他已经知道了。”她说，“咱们在台阶上坐会儿吧，我感觉喘不上气。”

他挨着她坐下，一只手托着下巴。现在，他第一次感觉到家给他的安慰了。当他坐在梅克皮斯大厦走廊的时候，好像他去了另一个乡村。他看了看母亲，现在他没期待任何事的发生，也没期待她说任何话。

“我想告诉你关于我自己的事。”她说道，“在你三岁的时候我离家出走了。我往北到了缅因州。我在一条河边看到了一个小屋，就在里面住了大约三个月时间。那是一条潮汐河，潮水能落下十英尺左右。夜里，我能听见河水在汩汩地流淌，那声音听起来很大，就像有好几个巨人在浴缸里洗澡一样。”

他笑了一下，但那笑并没有消除他对她所讲事件的恐惧感。

“我买了一辆生了锈的旧自行车，每天都骑着它去邻村购买食品杂货。我买果酱、面包、苹果酒，有时也买苹果。我像小孩子一样吃东西。每周我还去一趟图书馆。我住的地方除了流水声之外，非常安静。我习惯了黎明起床，那时苍鹭和白鹭会在泥地里吃食。”

他从她的声音里听得出她很喜欢那里。

“你为什么要逃走呢?”他问道。

她说:“我害怕你父亲的仁慈。我没有那么好。”

他不明白她说的话,也不记得她曾经离开过家。好像他被突然让进了一间屋子里,里面只住着大人,他们在说话,他连他们用的语言都不懂。但是在他的心里,在他的记忆里,他还是有一种熟悉的感觉,一种好像听见过什么事的感觉,即使他不懂,但还是听见过的。

“你为什么又回来了?”他轻声地问。

“我和你爸爸互相通信。他没有马上告诉我夜里你在屋子里到处走的事。是的……你过去常常那样。尽管你很小,你却自己到处走,因为你整夜都不睡觉,结果整个白天就很困。我回来是因为我太想你们俩了。我回来你就会停止夜游,晚上睡觉。”

从她说话的声音,他能辨别出她在开玩笑呢。他知道,她心情不好时经常开玩笑,就像他知道在艰难的时候爸爸会吹口哨一样。

她沉默了一会儿。

“那天夜里你能确定那是只猫吗?”她最后问道。

“不能。我当时感觉那是个什么东西,就假装它是个影子了。后来我感觉我也不知道当时是不是有意把它当成影子了。”